청소년들의 진로와 직업 탐색을 위한

잡프러포즈 시리즈 11

만화 그리기를 웹툰작가 멈출 수 없다면

만화 그리기를 멈출 수 없다면

웹툰 작가

손영완 지음

안다는 것은 전혀 중요하지 않다.
상상하는 것이 가장 중요하다.

- 아나톨 프랑스 Anatole France -

예술이 심각하다고 여기는 게
예술에 대한 첫 번째 오해다.

- 레스터 뱅스 Lester Bangs -

C·O·N·T·E·N·T·S

C·O·N·T·E·N·T·S

만화를 처음 시작했을 때 주변의 많은 사람들이 항상 하는 질문이 있었어요. 왜 만화를 그리려고 하냐는 거였죠. 그 질문을 했던 사람들은 아마도 같은 생각을 했던 것 같아요. 만화가는 돈도 잘 못 벌고, 미래도 불확실한 직업이라는 생각 말이에요. 또 드러내 말하진 않았지만 속뜻도 숨겨져 있죠. 왜 그런 직업을 굳이 목표로 삼는 거야, 좀 더 안정적인 다른 직업을 생각해보면 안 되겠니? 라는 뜻이 내포되어 있어요. 그런 우려 섞인 시선 속에서도 중심을 잃지 않고 꿋꿋이 이 길을 걸어온 이유는 무엇일까요? 그 답은 너무나도 자명해요. 만화가 좋고, 만화를 그리는 일이 행복해서죠. 홀로 원고와 사투를 벌이다 보면 저도 가끔은 외롭기도 하고 쓸쓸하기도 해요. 하지만 만화를 그리면서 그 어떤 것으로도 대체되지 않는 즐거움과 행복을 느끼고 있고, 힘든 그 과정을 온전히 겪어냈다는 사실에 대견함을 느끼기도 해요. 이제는 어느 정도 제 스타일을 완성해가고 있다는 사실에 자부심까지 생겼죠.

종종 만화를 시작하는 후배들 앞에 설 때가 있어요. 강의실에서 마주한 그들의 두 눈에는 젊음의 패기 대신 두려움이 자리 잡고 있기도 해요. 내가 과연 이 일을 잘 할 수 있을까? 중도에 포기하지는 않을까? 그저 그림 그리는 게 좋아 여기까지 오긴 했는데, 프로 작가가 돼서 마감이라는 압박을 견뎌낼 수 있을까? 그런 갖가지 두려움이 눈빛에 서려 있죠. 하지만 그 눈빛을 보고도 저는 그들이 해내리라는 것을 알고 있어요. 웹툰을 막 시작한 그들에게 만화란 '숨' 같은 존재니까요. 만화를 그리는 일을 떠나서는 온전히 살아갈 수 없어 살기 위해 그리는 사람들이니까요. 너무 과장하는 게 아닌가 생각할 수도 있고, 지금 당장은 이 얘기에 공감하지 않을 수도 있어요. 그렇다면 단 일주일만이라도 그림 그리기를 멈춰보세요. 아마 숨 막히는 공포가 찾아올 거예요. 지금 누군가 제게 왜 만화를 그리는지 물어 본다면 살기 위해, 숨쉬기 위해라고 대답하겠어요. 이제 제가 당신에게 물어볼게요. 웹툰작가를 꿈꾸는 당신, 왜 만화를 그리나요??

첫
인
사

토크쇼 편집자 – 편

웹툰작가 손영완 – 손

편 먼저 자기소개를 부탁드려요.

손 안녕하세요? 웹툰작가 손영완입니다. 서울문화사의 영점 프로 데뷔한 이후 지금까지 구준히 작품 활동을 하고 있으며, 현재 네이버와 그 밖의 다양한 플랫폼에 작품을 연재하고 있어요. 대학에서 웹툰 강의도 하고 있고요.

편 작가님의 작품도 소개해주세요.

손 모든 작품을 소개하기에는 무리가 있고 저의 대표작인 〈삵의 발톱〉과 〈이블 어게인〉 두 작품을 소개해드릴게요. 전란의 시대는 단순히 생각하면 힘과 힘의 부딪힘이라고 볼 수 있지만, 이상과 이상의 부딪힘이기도 해요. 〈삵의 발톱〉은 서로 다른 이상의 충돌을 보여줌으로써 역사의식을 고취시키고 바른 세상에 대한 바람을 담고자 했어요. 후한 말 전쟁으로 혼란스러운 시대에 용병이 되어 떠돌던 고구려인 용병대장 주율이 고구려의 왕성으로 오면서 이야기가 시작되죠. 주율은 고구려를 이용해 자신이 꿈꾸던 천하를 얻기로 마음먹어요. 고구려의 중추에서 갖은 책략으로 영향력을 키운 뒤, 새롭게 보위에 오른 고구려의 11대 태왕과 함께 삼국 중 가장 큰 세력을 가진 위나라로 진격해 들어가죠. 그 과정에서 주율은 자신이 이끄

〈삵의 발톱〉중 한 장면

는 용병대인 이조대와 그동안 용병으로서 천하를 돌아다니며 구축한 정보력, 권력자들을 흔들어 놓는 기책_{남들이 흔히 생각할 수 없}^{는 기묘한 꾀}을 이용해 조금씩 안정되어 가던 위, 촉, 오 세 나라를 다시금 전쟁의 혼란 속으로 몰아넣어요. 그런 혼란 속에서 역사는 새롭게 요동치기 시작하죠. 처음엔 고구려가 약소 세력인 촉과 오, 그리고 북방 민족들과 협력해 최대 세력인 위나라를 위협하는데 그 효과로 위나라에서는 새로운 세대교체가 이루어지고 사마의가 권력을 잡게 되죠. 위나라는 오나라와 다시금 손을 잡고 최대의 힘으로 고구려를 역공하고요. 수많은 책략과 공방이 서로의 목적을 위해 오가지만 결국 마지막 전투를 앞둔 순간 주율의 최후 책략이 부조리로 가득 찬 천하에 일침을 가해요. 주율은 널리 인간세계를 이롭게 한다는 홍익인간의 사상을 계승하듯 권력자들을 위한 천하가 아니라 백성들을 위한 천하를 꿈꿨고, 그 뜻은 미래로 계속 이어진다는 내용으로 작품은 끝나요.

〈이블 어게인〉은 비현실적이고 비인간적인 세상이 잉태한 존재 사이코패스가 부조리를 응징한다는 내용이에요. 무관심과 개인주의가 팽배한 세상에서 인간성보다는 돈과 권력이, 상식보다는 비정상이 인정받는 비현실적이고 비인간적인 사

〈이블 어게인〉 중 한 장면

회가 사이코패스를 잉태한 것은 아닐까 하는 물음에서 출발한 작품이죠. 여섯 살인 백경은 술에 취한 고등학생 다섯 명의 무차별 폭행으로 아버지가 사망하는 모습을 목격해요. 그로부터 15년 후, 장성한 백경이 복수의 화신이 되어 돌아오죠. 복수의 과정에서 백경은 내면에 잠재되어있던 억제할 수 없는 살인 충동으로 폭주하고 말아요. 착한 사람을 패면 폭력이지만 나쁜 놈을 패면 그게 곧 정의라고 생각하죠. 또 법 위에 있는 갑들을 자신이 대신 심판하겠다고 말하지만 그건 단지 살인의 명분에 불과해요. 그런 백경이 송미령이란 여자를 만나 다시 '인간'으로 돌아간 것처럼 보여요. 딸도 낳고 평범하게 16년을 살죠. 그런데 딸 백야가 학교 성매매 사건에 휘말려 죽고 아내마저 그 충격으로 자살하면서 백경의 내면에 봉인되었던 살인 본능이 다시 해제되고 마는 이야기예요.

편 지금까지 총 몇 편을 쓰신 건가요?

손 2000년 〈키스 오브 더 건〉이란 작품을 서울문화사 영점프에 연재하면서 데뷔했고, 그 후에 대원출판사에서 〈검비〉 1, 2, 3권을 출판했어요. 2006년에는 코믹타운에 〈대 악마 첩보기관 A.D.I〉를 연재했는데 이 작품을 프랑스에서 개최되는 앙굴렘 국제 만화 페스티벌Angoulême International Comics Festival에 출품하기도 했죠. 미디어 다음에 12부작인 〈모데미풀〉을 연재했고, 네이버에 〈삶의 발톱〉을 연재했어요. 〈삶의 발톱〉은 KOCCA한국콘텐츠진흥원 만화 원작-원화 프로모션에 선정돼서 독일 프랑크푸르트 도서전Frankfurt Book Fair에 출품되었고요. 최근에는 피너툰에 〈남선생 여제자〉를 북큐브에 〈삶의 발톱 외전〉, 〈이블 어게인〉을 연재했어요.

편 본인의 작품 중 가장 아끼는 작품은 무엇인가요?

손 네이버에 연재했던 〈삶의 발톱〉은 제 대표작이자 지금의 저를 만들어준 작품이라고 할 수 있어요. 4년 가까이 연재하면서 작가로서 끊임없이 고민하게 만들었고, 제 한계에 계속해서 도전하게 만들었죠. 물론 모든 작품에 애정이 가지만 아무래도 4년이라는 긴 시간 동안 에너지를 쏟아부었던 작품이다 보니 더 애착이 가고 남다른 느낌이 들어요.

편 이 일을 하신지는 얼마나 되셨나요?

손 1992년에 고등학교를 졸업하고 출판만화를 제작하는 화실에 들어가 문하생 생활을 시작했어요. 화실을 두 번 정도 옮

앙굴렘 국제 만화 페스티벌

앙굴렘 국제 만화 페스티벌은 프랑스 서부의 작은 도시 앙굴렘에서 매년 1월 말에 개최되는 만화 축제예요. 1974년에 시작된 이 축제는 긴 역사를 지니는 만큼 규모도 크고 그 영향력도 방대하죠. 프랑스는 물론 세계 각국의 만화와 관련 영상물이 전시되고, 다양한 강연회와 상영회, 시상식, 책 박람회 등이 진행돼요. 앙굴렘 시 정부는 만화 축제를 위해 연간 예산 약 300만 유로를 집행하며, 앙굴렘 국제 만화 페스티벌에 모여드는 관람객 수는 해마다 증가해 약 25만 명에 이른다고 해요. 앙굴렘 국제 만화 페스티벌에서는 2001년부터 비 유럽 국가를 주빈국으로 지정해 특별전을 개최해왔어요. 한국은 세계 만화 출판 시장의 1, 2위를 달리는 일본과 미국에 이어 세 번째 주빈국으로 선정돼 2003년과 2013년에 두 차례 특별 전시를 열었죠. 이 행사를 계기로 한국 만화가 유럽으로 수출되기 시작해 현재 21개 언어로 45개국에 수출되는 성과를 이루었어요.

프랑크푸르트 도서전

매년 10월, 독일 프랑크푸르트 암 마인^{am Main}에서 개최되는 프랑크푸르트 도서전은 세계에서 가장 규모가 크고 영향력 있는 도서 박람회예요. 도서전은 세계 각국의 출판사들이 신간 도서를 소개하는 자리인 동시에 국제적인 저작권의 판매, 협상, 교류가 이뤄지는 현장이죠. 또한 최근 출판 미디어의 동향을 파악하고 새로운 기술과 아이디어를 공유할 수 있는 국제 미디어 시장으로서 기능해요. 프랑크푸르트 도서전은 세계 출판 시장의 현황을 한눈에 파악하고 앞으로의 시장을 예측할 수 있는 출판계 최대의 축제예요.

김수용 작가 〈힙합〉 스텝 참여 시절

기면서 다양한 경험을 하다 2000년 서울문화사의 영점프라는 만화잡지로 데뷔했죠. 데뷔 후 지금까지 17년간 작가 생활을 하고 있어요.

편 웹툰작가라는 직업을 선택한 이유가 있나요?

손 일단 저는 그림을 그리는 게 즐겁고 재밌었어요. 제가 잘 할 수 있는 일도 그림이었고요. 그러다 보니 그림을 그리며 먹고 살 방법이 어떤 게 있을까 생각했죠. 그러던 와중에 프로 작가가 아닌 아마추어 만화가들의 전시회를 관람하게 되었어요. 저와 비슷한 또래에 벌써 열심히 뭔가를 그리고 열정적으로 사는 모습에 감동을 받았어요. 그 전시회에서 같은 학교 선배인 김수용 작가가 전시를 하고 있었는데, 그게 인연이 돼서 함께 동아리 활동을 했고 작품 활동도 같이 했죠. 그렇게 만화를 그리다 프로 작가를 꿈꾸게 되었어요. 그렇지만 당시는 지금처럼 대학에 만화학과도 없었고 만화를 전문적으로 배울 수 있는 학원도 없었어요. 그래서 화실 생활을 하면서 선생님과 선배들 어깨너머로 배우고 여러 가지 경험을 해보며 기술을 습득했죠. 몇 년 후 출판만화로 작가 생활을 시작했고 출판만화가 디지털만화의 발전으로 점차 밀려나면서 웹툰작가로 활동하게 되었어요.

편 이 직업을 프러포즈하는 이유는 뭔가요?

손 많은 청소년들이 웹툰작가가 되고 싶다고 하는데 왜 작가가 되고 싶은지 물어보면 그냥 재미있을 거 같아서라고 대답하는 학생들이 많더라고요. 독자로서 웹툰을 보는 것은 재미있을 수 있는데, 작가가 되어 창작을 하는 일은 결코 만만하지 않아요. 작품 한 편을 완성하는 과정이 재미있는 일만은 아니라는 걸 생각할 수 있게 깊이 있는 질문들을 하죠. 그 질문에 스스로 답해보고 그럼에도 불구하고 나는 그림이 좋아, 만화가 좋아, 웹툰작가가 되고 싶다는 학생들은 누가 권하지 않아도 이 길을 선택하더라고요. 본인의 재능을 가지고 뭔가를 할 수 있고, 그 일이 즐거우며 다른 사람들에게도 즐거움을 준다면 정말 행복한 사람이겠죠. 만화가가 바로 그런 사람이에요. 물론 수입이 안정되지 않아 경제적으로 힘든 부분들도 많죠. 그렇지만 이 글을 읽는 후배들에게 해보고 싶은 게 있다면 일단 도전해보라고 말하고 싶어요. 본인이 원하는 일, 좋아하는 일을 하면서 즐거움을 찾는 인생, 괜찮은 인생 아닌가요?

웹툰작가란

웹툰이란 무엇인지 알려주세요.

편 웹툰이란 무엇인지 알려주세요.

손 웹툰은 웹^{Web}+카툰^{Cartoon}의 약자로 웹사이트에 게재된 세로로 긴 이미지 파일 형식의 만화를 말해요. 1997년 IMF 이후 출판만화 시장은 급격히 침체되었어요. 출판 시장은 좁아지고 인터넷 기술이 발달하자 작가들이 인터넷에 만화를 올리기 시작했어요. 본인이 그린 만화를 스캔해서 사이트에 올린 거죠. 독자들이 생겨나고 댓글을 달기 시작했고 재미있는 작품들은 입소문이 나 팬들도 생겨났어요. 대표적으로 강풀 작가가 그렇게 인기를 얻었죠. 포털사이트$^{Portal\ Site,\ 이용자가\ 필요로\ 하는\ 다양한\ 서비스}$ 를 종합적으로 모아 놓은 사이트가 인기 있는 만화가들과 계약을 맺고 연재 만화를 올리면서 지금 형태의 웹툰 시장이 형성되었어요. 이렇게 특수한 상황에서 생겨난 장르이기에 다른 나라에는 없는 우리나라만의 고유 명사가 된 거예요. 일본의 만화를 망가라고 하는데 일본 만화예술 산업이 전 세계로 뻗어 나가고 그 영향력이 커지면서 망가는 세계적인 고유명사가 됐어요. 이와 마찬가지로 원래 없던 장르인 웹툰이 대한민국에서 만들어져 이제 세계 속으로 나아가고 있죠.

편 한국의 웹툰은 어떻게 발전되어 왔나요?

손 일본인들의 만화 사랑은 꿩장해요. 만화가 일본 열도를 점령했다는 말이 나올 정도죠. 도쿄 지하철은 승객들의 독서 열기로 유명한데, 승객들이 보는 책의 70퍼센트 이상이 만화책이에요. 당연히 출판만화 시장이 발전했고 미국에 이어 세계 2위의 출판대국이 되었어요. 우리의 경우 급격한 침체기를 만나 만화를 출판하던 업체들이 문을 닫거나 규모를 축소했어요. 작가들은 생계를 유지하기 위해 연재할 곳을 찾았죠. 어느 날 보니 개인 블로거들이 인터넷에 다이어리 형식의 웹툰을 올리기 시작했어요. 그렇다 보니 처음에는 캐릭터 중심의 만

화가 웹툰의 대명사로 인식되었죠. 많은 작가들이 본인의 만화를 스캔해 올리면서 점차 세로로 긴 롤페이퍼 방식의 웹툰이 만들어졌어요. 대형 포털사이트들이 본격적으로 뛰어들면서 웹툰은 전환점을 맞이하게 돼요. 인터넷 출신 작가들을 영입해 창작 콘텐츠를 연재했는데 단순한 에피소드 형식에서 벗어나 탄탄한 서사를 바탕으로 한 연재만화를 선보이면서 더욱 발전하기 시작했죠.

📝 다른 나라에는 웹툰이란 장르가 없는 건가요?

✋ 외국에서도 웹툰을 만들기는 하지만 시초는 대한민국이에

요. 우리가 먼저 시작을 한 거죠. 다른 나라의 경우는 출판만화가 활성화되어 있어요.

📖 다른 나라의 만화 시장도 궁금해요.

👤 이제 세계적으로 자리 잡은 일본의 만화인 망가는 일반적으로 채색하지 않고 흑백으로 그려요. 캐릭터의 신체 과장과 변형이 두르러지고 드라마틱한 이야기를 연출해 유럽이나 미국의 만화와는 그 구성이 다르죠. 미국에서는 정부 차원에서 만화산업을 지원하고 있어요. 만화를 통해 자국 우월주의를 심어주려 하기도 하고요. 그래서 〈캡틴 아메리카〉 같은 마블 캐릭터들이 언제나 지구를 지키는 내용이 나오는 거죠. 그렇지만 그런 지원 덕에 잊혀가는 과거의 캐릭터가 다시 나와 성공하기도 하고, 작품 자체는 물론 캐릭터 상품까지 독점이 되어 있는 상태에서 영화화하면서 엄청난 수익구조를 만들기도 해요. 당연히 작가들이 저작권료 등 많은 혜택을 받을 수 있죠. 프랑스는 일본이나 미국과는 또 다른 만화 문화를 가지고 있어요. 예술적 가치를 중시하는 프랑스인의 문화가 만화 장르에도 녹아있죠. 출판만화 역시 조형미와 회화성을 중요시해서 높은 예술적 완성도를 보이거든요. 마치 영화처럼 작가주

의 경향이 강하고요. 스토리는 진지하고 그림은 정적이고 대사보다 내레이션이 많다 보니 일본만화에 익숙한 우리나라 관객들은 좀 생소하게 느낄 수 있어요.

편 우리는 일본만화의 영향을 많이 받았나요?

손 아무래도 지리적으로 가깝다 보니 많은 영향을 받았죠. 제가 어렸을 때 접했던 〈마징가 제트〉나 〈캔디〉 등 대부분의 만화가 일본만화였어요. 많은 사람들이 일본만화인 줄 모르고 본 작품도 많았을 거예요. 작가 지망생들은 〈드래곤볼〉이나 〈슬램덩크〉 같은 일본만화를 보면서 연구했어요. 일본만화는

예쁘고 아기자기한 캐릭터가 많아 캐릭터 사업 분야에서도 일본만화에 관한 연구를 많이 했고요. 기술적인 부분만 봐도 일본이 20~30년은 앞서 있다고 봐야 해요. 일본의 경우 정부에서 지원을 많이 했거든요. 한국에서 만화를 그린다고 하면 돈벌이가 되지 않는 일을 한다며 그림쟁이라고 낮잡아 부르는 등 인식이 좋지 않았어요. 매절이라는 문화가 있어서 굶지 않기 위해서는 낮은 금액에 작품을 넘기는 상황도 빈번했죠. 요즘도 상황이 크게 좋아지진 않았어요. 신인 작가들이 그런 상황을 많이 힘들어하고요. 반면 일본은 수요가 많고 저작권에 대한 개념도 확립되어 있죠. 작품이 한 편 완성되고 어느 정도 판매가 되면 인세가 꼬박꼬박 들어오니 차기 작품을 구상할 여유가 생기는 거예요. 우리도 이런 방향으로 가기 위해 기성 작가들이 더 많은 노력을 하고 있는 중이에요.

편. 웹툰이 생기면서 어떤 점이 달라졌나요?

손. 가장 달라진 건 인식이 많이 좋아졌다는 거예요. 예전에는 사람들이 만화를 낮추어 보는 경향이 있었어요. 또 주로 만홧가게에 가서 만화를 봤는데 그러다 보니 음지의 문화라고 여기는 분위기도 있었죠. 웹툰은 인터넷만 켜면 볼 수 있으니

쉽게 접근할 수 있어요. 많은 사람들이 지루한 출퇴근 시간을 이용해 스마트폰으로 웹툰을 보죠. 웹툰을 보며 여가를 즐겁게 보내기도 해요. 문화의 일부가 된 거죠. 웹툰 시장이 커지면서 이제 유명 작가들은 높은 고료를 받고 연예인처럼 선망의 대상이 됐어요. 요즘은 웹툰작가가 되겠다고 하면 부모님들도 반대하지 않으세요. 이렇게 웹툰이 활성화되고 대중적인 문화로 자리 잡으면서 인식 역시 좋아진 것은 고무적인 일이라고 생각해요.

또 하나 달라진 점이 있다면 작화하는 사람이 디테일하게 취재하고 사실을 바탕으로 그림을 그린다는 거예요. 예를 들

어 패션을 소재로 한 작품을 한다면 그 직업군이 일하는 방식이나 특성은 물론 패션 브랜드까지 구체적으로 취재하는 거죠. 예전에는 독자와 소통할 길이 거의 없었어요. 책이 나오면 독자들끼리 좋네, 별로네 얘기하는 게 다였죠. 요즘 독자들은 더 전문적이고 까다로워졌기 때문에 실제와 다른 장면이 들어가면 "제대로 그려라, 네가 이 직업에 대해 뭘 알아, 알지도 못하면서 막 그리지 마라"는 댓글이 바로바로 달려요. 그래서 취재 없이 작품을 하는 건 두려운 일이죠.

　마지막으로 웹툰이라는 게 작품만 잘 나온다고 성공하는 게 아니고 매체와도 잘 맞아야 해요. 플랫폼이 됐든, 포털이 됐든 그곳의 특성과 맞지 않으면 연재가 되지 않으니까요. 예전에는 그래서 블로그나 홈페이지에 올리면 됐는데 이미 그런 시절은 지나가버렸어요. 아무리 그림을 잘 그린다고 해도 독자들과 만나지 못하면 소용없는 거죠. 특정 매체에서 웹툰 시장을 독점하다 보니까 작품을 다른 곳에서 퍼갈 수도 없고요. 작가는 많은데 매체는 한정적이라 경쟁은 점점 치열해지고 있어요. 그래서 더 전문적이 되고 여러 가지 방법을 써서 재미를 주기도 해요. 웹툰에서 소리도 나오게 하고, 음악도 나오게 하는 등 계속해서 독자들의 흥미를 끌 요소를 찾고 있죠.

최초의 웹툰작가는 누구인가요?

편 최초의 웹툰작가는 누구인가요?

손 인터넷의 특성상 최초의 웹툰작가를 알기는 어렵겠죠. 가장 먼저 대중적으로 알려진 작가로 강풀 작가가 거론되지만 이것 역시 주관적인 견해라 꼭 그렇다고는 할 수 없고요. 1990년대 후반, 인터넷이 보급되면서 웹툰의 태동은 예고되었다고 할 수 있어요. 기술의 발달로 신문의 카툰은 디지털로 전환됐고, 2000년대 초반이 되자 웹툰은 본격적인 행보를 시작해요. 다음, 네이버, 엠파스, 파란, 야후 등의 포털이 경쟁하면서 다양한 콘텐츠가 생산되었죠. 초창기 웹툰을 이끌었던 1세대 웹툰작가들은 그 이후에도 각자의 분야에서 계속 새로운 시도들을 해왔어요. 강풀 작가는 극화_{1950년대 이후 일본에서 대본소 전문 만화가들이 '청년물(靑年物)'이라는 의미로 붙인 용어. 한국에서는 '사실체(이야기) 만화'의 의미로 사용}만화 장르를 개척했고, 강도하 작가는 독특한 형식으로 진지하고 깊이 있는 만화를 만들어냈죠. 이때 강도하 작가는 웹진인 악진을 만들어서 작품을 올리기도 했어요. 악진은 2001년에 만들어진 독립 매체로서 여러 작가들의 작품을 실어서 매거진으로서는 꽤 오랫동안 유지했었죠. 그 당시 악진에 작품을 실었던 많은

신인 작가들 중에는 지금까지 활동하고 있는 작가들도 꽤 있
어요.

웹툰작가라는 직업에 대해 소개해주세요.

편 웹툰작가라는 직업에 대해 소개해주세요.

손 웹툰작가는 웹툰을 그리는 작가로 초기에는 출판만화를 그렸거나 지망했던 사람이 다수였다면 현재는 처음부터 웹툰으로 데뷔한 작가들이 많아요. 저는 출판만화가로 시작했어요. 잡지세대의 작가였죠. 한동안 영화감독이 되고 싶어 영화 공부를 했었지만 여건이 안돼서 못했기 때문에 대신 만화라는 장르 안에 영화적 연출을 많이 넣고 있죠. 작품을 시작할 때는 내가 감독이자 캐스팅 디렉터가 돼요. 각각의 캐릭터에 맞는 배우를 캐스팅한다는 생각으로 인물들을 설정하죠. 이야기 자체도 묵직하고 드라마틱한 장르를 선호하고요. 좋아하는 일을 하고 있지만 다른 어떤 직업군보다 일의 양이 많고 창작의 고통도 따르는 직업이에요. 재미있는 만화를 보면서 '아, 만화 그리는 일도 재밌겠구나!' 하고 단순하게 생각하거나 억대 연봉을 받는 작가들을 보면서 판타지를 가지기보단 실제로 어떻게 일하고 어떤 어려움이 있는지 생각해봤으면 좋겠어요.

편 출판만화를 그렸던 세대로서 지금 후배들과 다른 점이 있나요?

손 예전에는 독자들이 우리 만화는 일본의 망가나 미국의 만화에 비해 왜 이렇게 질이 떨어지냐고 질책을 많이 했어요. 비교를 많이 했죠. 당시 국내 만화 시장은 적은 금액으로 한 달 안에 한 권을 끝내야 하는 공장만화 체제였기 때문에 그림의 수준이 많이 떨어질 수밖에 없었죠. 반면 일본은 인세가 꼬박꼬박 나오고 작가들이 그림에 신경을 많이 쓸수록 좋아하는 독자가 많아져 수익도 늘어나기 때문에 묘사가 점점 더 디테일해졌어요. 결과적으로 독자들에게 주는 감동도 커지고요. 출판만화를 했던 작가들은 예전에 일본만화와 비교당했던 기억이 있어서 콘텐츠를 만들 때 더 디테일해지는 경향이 있죠. 그런데 요즘은 재미만 있으면 된다고 생각하고 빨리 빨리 그려 올리는 경우가 많아요. 독자들과 바로 소통하는 것에 더 큰 비중을 두죠. 요즘 웹툰작가들과는 그런 갭이 좀 있어요.

편 그림만 그리는 작가와 글만 쓰는 작가가 협업하기도 하던데요.

손 보통은 작가 한 명이 글도 쓰고 그림도 그리지만 스토리

작가와 작화화가가 따로 있는 경우도 있어요. 스토리를 잘 만들어내는 이야기꾼이 있는 반면 그 스토리를 그림으로 표현하는데 특화된 사람이 있어요. 그림은 잘 그리는데 글을 못 쓰는 사람들이나 글은 잘 쓰는데 그림이 좀 약한 사람이 있잖아요. 두 가지 모두를 잘하면 좋은데 그렇지는 못하고 작품을 만들고 싶은 욕망은 크다면 이런 사람들이 만나서 협업을 하는 경우가 있죠. 〈신암행어사〉의 스토리작가인 윤인완이라는 친구도 만화가가 꿈이었는데 스토리 구성은 탄탄했지만 그림이 좀 약했어요. 출판사에서도 스토리는 참 좋은데 그림이 안타깝다고 했죠. 그래서 반대로 그림은 정말 좋은데 스토리가 좀 약하다는 평을 받은 양경일 작가를 연결해줬죠. 그렇게 해서 만들어진 작품이 〈신암행어사〉 라는 작품이에요.

편. 협업을 해서 작업을 하는 경우가 많나요?

손 네. 많아요. 예를 들어 영화로 만들어져 흥행했던 〈타짜〉라는 작품을 허영만 선생님의 작품으로 알고 있잖아요. 그런데 〈타짜〉의 스토리는 김세영 선생님이 쓰셨어요. 〈비트〉 역시 허영만 선생님 작품으로 많이들 알고 있지만 스토리는 박하 선생님이 쓰셨고요. 이렇게 스토리작가와 작화화가가 협업

하는 경우가 많고, 그 분들이 속한 스토리협회와 만화협회도
따로 있어요.

편 그럼 허영만 선생님은 그림만 그린 거예요?

손 보통은 허영만 선생님 혼자 글도 쓰고 그림도 그리세요.
허영만 선생님 같은 분은 스토리가 여러 편 들어온다고 들었
어요. 그중 괜찮은 스토리가 있으면 스토리작가와 협업을 하
기도 하는 거죠. 스토리가 아무리 좋다고 해도 작화력이 떨어
지면 독자에게 메시지를 전달하기가 쉽지 않아요. 작화는 그

이야기를 전달하는 연출이기 때문이죠. 그래서 스토리작가는 그림을 잘 그리는 작가를 만나고 싶은 거고, 선생님의 그림이 전달력이 강하기 때문에 많은 스토리작가들이 러브콜을 보내는 거예요.

편 혼자서 하는 것 보다는 둘이 만나서 더 큰 시너지가 날 수도 있겠네요.

손 작가마다 각자의 스타일이 있기 때문에 어떤 작가를 만나느냐에 따라 다르지만 시너지를 내는 경우도 많죠. 지금 진행 중인 경매 이야기 역시 스토리 작가와 경매 전문가와 협업을 하고 있어요. 뭔가 독특하고 전문적이면서 누구나 쉽게 손댈 수 없는 소재를 찾아 고민 하던 중에 경매라는 소재로 이야기를 만들어보자는 제의가 들어왔고 제가 찾고 있던 것과 일치하는 부분이 있어서 협업을 하게 되었어요.

최고의 웹툰작가는 누구인가요?

편 작가님이 생각하는 최고의 웹툰작가는 누구인가요?

손 최고의 작가는 작가가 판단하지 않아요. 독자들이 판단하고 독자들이 결정하는 거죠. 작가들을 보면 재미있는 이야기에 중심을 두는 사람이 있고, 좋은 그림에 중점을 두며 예술적 수준까지 끌어올리고 싶어 하는 사람도 있어요. 작가들은 본인이 가치를 두는 것에 무게를 두고 저마다의 개성을 작품에 녹여내고, 독자들은 자신의 취향에 따라 작품을 고르고 평가하기 때문에 누군가를 최고로 평가하기는 좀 어렵네요.

편 우리나라 작가들 중에 외국에서 인기 있는 작가도 있나요?

손 많죠. 한국의 출판만화 시장이 무너지면서 작가들은 선택의 기로에 놓였어요. 세 가지 길이 있었죠. 첫 번째는 학습지 시장이었어요. 당시 부모님들이 만화는 못 보게 해도 학습만화에 대해서는 주머니를 열었던 때라 학습지 시장이 활성화되고 있었거든요. 사실 잡지만화를 하던 작가들은 학습지 시장으로 간다는 사실에 굴욕감을 느꼈어요. 그렇지만 먹고 살기 위해 어쩔 수 없이 학습지 시장으로 갔죠. 두 번째는 해외 시장으로 나가는 거였어요. 세 번째가 웹툰 시장이었고요. 웹툰은 그때만 해도 초창기라 시장 규모가 작아서 개척을 해야겠다는 마음으로 도전하는 사람이 주로 갔죠. 강풀 작가나 〈은밀하게 위대하게〉의 최종훈 작가가 그런 작가들 중 한 사람이에요.

두 번째 해외 시장으로 나간 경우, 외국 출판사를 찾아간 작가들이 있었어요. 나는 외국 시장에서 먹힐 자신이 있다고 생각해서 원고를 들고 일본의 출판사로 찾아갔죠. 그렇게 일본에서 출판한 작품 중에 양경일 작가의 〈암행어사〉라는 작품이 있는데 1위까지 할 정도로 인기가 많았어요. 애니메이션도 찍었고요.

📖 〈암행어사〉가 1위를 할 수 있었던 이유는 어디에 있을까요?

✋ 스토리작가와 작화화가가 따로 있었는데 둘이 협업을 잘했어요. 또 출판사와의 철저한 기획 안에서 콘셉트를 잘 만들었죠. 일본은 바로 작품에 들어가지 않고 이 작가가 어느 정도 살아남을 수 있는지 테스트를 해요. 다른 스토리작가와 테스트를 해본 후 여러 가지 상황을 고려해서 최종적으로 결정하죠. 〈암행어사〉가 그렇게 만들어졌어요. 박성우 작가의 〈청

랑열전〉, 〈흑신〉이라는 작품이나 양경일 작가의 다른 작품들도 일본에서 인기를 얻었어요. 이 작가들의 공통점은 그림체가 예쁘다는 거예요. 일본 독자들의 취향에 맞아떨어졌던 거죠. 박성우 작가의 경우 그림을 본 일본 출판사에서 먼저 연재하고 싶다고 스카우트 제의를 해왔고요.

웹툰작가는 구체적으로 어떤 일을 하나요?

편. 웹툰작가는 구체적으로 어떤 일을 하나요?

손. 웹툰을 그리기 전에 먼저 기획서를 써요. 연재할 곳이 포털이 됐든 플랫폼이 됐든 이야기하고 싶은 주제와 간단한 줄거리, 스토리를 이끌어갈 사건들, 집필 의도, 캐릭터 등이 담긴 기획서를 써서 제출하는 거죠. 매체에서 좋다는 사인이 나면 그때 구체적인 시놉시스를 써요. 시놉시스는 드라마 대본

웹툰협회 정기 회의

처럼 캐릭터의 대사와 상황을 글로 적는 걸 말해요. 시놉시스도 완성되면 이제 콘티를 그려요. 시놉시스를 바탕으로 컷의 모양이나 앵글, 캐릭터의 위치, 배경 등을 러프하게 시각화하는 단계죠. 콘티까지 마쳤다면 이제 본격적으로 프로그램 등을 이용해 원고를 그리는 거죠. 요즘은 편집회의가 중요해졌어요. 편집자들이 저마다 의견을 내고 반영시키려 하기 때문에 작가들 입장에서는 작업하기가 더 까다로워진 셈이죠. 회의 결과에 따라 수정도 몇 번씩 하고 커트라인도 지켜야 하니까요.

편 기획서를 쓰는 일이 중요한 것 같아요.

손 맞아요. 기획서를 잘 써야 연재할 기회를 얻을 수 있거든요. 기획서도 쓰고 시놉시스도 쓰고 샘플도 만들어서 편집자들에게 보여줘요. 편집진 회의를 거쳐 가장 높은 점수를 받고 반응이 좋은 게 우선순위로 선택돼 제작에 들어가는 거죠. 타이밍 역시 중요한 요소예요. 웹툰작가 지망생들이 많이들 착각하는 것 중 하나가 포털에 올라온 웹툰을 보고 본인보다 못 그린 것 같은데 올라온 걸 보니 나도 할 수 있다고 생각하는 거예요. 연재가 되는 데는 다 이유가 있거든요. 그림이 디테일하지 않더라도 기획이 탄탄하다든지 이야기가 재미있다든지 또는 타이밍이 맞았다든지 하는 이유로요. 매체에는 다양한 장르의 웹툰이 들어가는데 마침 그 장르가 빠졌다면 그 빈자리에 들어가기도 하거든요. 포털 입장에서는 구성을 맞춰야 하니까요.

편 또 어떤 점에 중점을 두고 웹툰을 그려야 하나요?

손 연재 능력도 정말 중요해요. 매주 작품을 올리는 일이 생각보다 많이 힘들거든요. 요즘 독자들은 오래 기다리지 못해요. 그래서 다음 화 미리보기 시스템까지 생겼죠. 또 조금만 늦어도 악플을 달기 시작해요. 내 작품을 기다려주는 건 고마운 일인데 마감에 쫓기다 보면 괴롭기도 하죠. 어느 정도 퀄리티를 유지하는 것도 중요해요. 스토리에 쫓기다 보면 스토리가 흔들리고 작화도 붕괴되고 결국은 독자들한테 소외될 수밖에 없으니까요. 소외된 작가는 실패한 작가로 낙인이 찍히는데 이게 정말 무서운 일이예요. 왜냐하면 한 번 낙인이 찍히면 다시 연재되기가 힘들거든요. 그런데 패기 있는 몇몇 후배들을 보면 성급하게 연재를 하고 싶어 해요. 제 생각에는 조금 더 연습했으면 좋겠는데 말이죠. 그동안 연습이 덜된 상태에서 연재를 하다 실패하는 경우를 종종 봤어요. 재미없는 작가라는 프레임을 벗기가 정말 힘들어요. 좀 더 내공을 쌓고 도전했으면 해요.

퀄리티를 어느 정도 유지하는 것이 중요하다고 얘기했는데, 이 말이 퀄리티가 절대적으로 우선시되어야 한다는 건 아니에요. 대학에서는 교수들이 무조건 퀄리티가 좋아야 한다고 얘기하는데 저는 그렇게 생각하지 않아요. 만화가들의 퀄리티는 욕심일 수 있어요. 학생이 추구하는 건 재미인데 교수가 자꾸 퀄리티를 높이라고 얘기하면 그게 좋은 조언은 아니라는 거죠. 만화는 무조건 퀄리티가 좋아야 성공할 수 있다고 가르친다면 조석과 기안84 같은 작가를 설명할 길이 없잖아요. 이 둘이 현재 대한민국에서 수입이 가장 높은 웹툰작가들인데 이들의 작품과 성공을 어떻게 설명할 거냐고요. 아무리 작품의 퀄리티를 높여도 지금 그 둘을 이길 수는 없어요. 이미 그들 이름 자체가 브랜드가 되어 그들이 작품을 하면 팬들이 함께 움직여요. 확실한 유저가 형성되어 있죠. 물론 팬들에 비례해 안티 팬들도 같이 늘어나 악플을 달기도 하지만요. 그런데 기안84 작가는 악플이 달려도 좋아한대요. 악플에 상처받기보다는 오히려 이슈를 던져놓고 댓글에서 독자들끼리 싸우는 걸

즐기는 것처럼 보여요. 그런 걸 볼 때마다 요즘 작가들 멘탈이 세다는 생각이 들죠.

편 편집회의를 통해 제작이 결정된 후의 과정이 궁금해요.

손 스토리가 나와야 하니 이야기 구성을 위해 취재를 하러 다니죠. 예를 들어 주인공이 웹툰작가라면 웹툰작가들의 생활 방식이나 특성 등을 취재해요. 일상을 가볍게 그리는 것이 아니라 리얼리티로 간다고 하면 더 디테일한 묘사를 위해 준비도 꼼꼼히 하죠. 스토리 준비가 되면 이제 디자인을 해요. 캐

릭터를 설정하고 데생에 들어가는 거죠. 데생도 끝나면 컬러를 입히고 배경 작업을 하고 스크롤 편집을 한 후 최종 편집을 해요. 그리고 비로소 원고를 매체에 올리죠. 이 과정을 일주일 안에 다 해야 하니 시간에 쫓기기도 해요.

예전에는 팀으로 활동해서 업무를 분담했는데 요즘은 1인 작가 체계라 모든 과정을 혼자 하죠. 거기다 잡지만화는 흑백으로 그렸는데 웹툰은 컬러라 노동량이 더 많아졌어요. 밖에 나올 시간이 없어요. 지금은 연재를 끝내고 신작을 준비 중이라 여유가 있어서 미팅도 하고 사람들도 만나지만 〈삶의 발톱〉을 연재할 때는 4년 동안 거의 아무도 안 만났어요. 여유시간이 생기면 그 시간에 잠을 자야 했으니까요. 그 긴 기간을 하루에 20시간 이상씩 힘들게 작업하며 보냈는데 연재를 하면 기안84 작가는 1등을 하고, 저는 꼴등을 했죠. 다음에 연재를 했다면 다른 결과가 나왔겠지만 네이버는 독자층의 40퍼센트가 초등학생이거든요. 제가 대다수 연령층을 타깃으로 하지 않는 작품을 했잖아요. 어쩔 수가 없었죠.

매체마다 특성이 있는데 네이버는 재미를 중요시하는 반면 다음은 완성도를 중요시해요. 그래서 다음에서 〈이끼〉나 〈미생〉 같은 작품이 나올 수 있었던 거예요. 〈삶의 발톱〉이 다

미생

Job
Propose 11

음으로 갔으면 더 인기가 있었을 거라고 생각해요. 그러니 결국 작가는 매체 선택도 잘해야 하는 거죠. 네이버에 가면 일단 대우가 달라진다는 평이 있어요. 기본수익에 광고수익 등이 합쳐지고 미리보기 시스템까지 유료화돼서 수익률이 좋거든요. 원고 1화를 무료로 올려서 공개하고 2화, 3화, 4화는 미리보기로 풀어버리는 거예요. 1화를 읽은 독자는 다음 내용이 궁금해 미리보기를 결재하는 거죠. 거기에서 나오는 수익도 많더라고요. 일주일에 600만 원 정도니까요. 그러니까 다들 네이버에 가고 싶어 하죠.

편 그럼 인기 있는 작가들의 수익은 어떤가요?

손 조석이나 기안84 같은 작가들은 월 수익이 억대예요. 기안84 작가는 처음에 본인 책상도 없이 시작했는데 이제 부모님께 집도 사드리고 차도 사드렸대요. 조석 작가는 더 많이 벌겠죠. 김풍 작가도 방송 활동하면서 매월 2억씩 벌었다고 하고요.

남녀비율은 어떻게 되나요?

편 작가들의 남녀비율은 어떻게 되나요?

손 여성들이 남성보다 더 많아요. 대학에 강의를 하러 가서 보면 만화학과 학생도 여학생이 70퍼센트로 더 많고요. 독자들 비율을 보면, 남성들이 주로 좋아하는 장르에는 남성 독자가 많고, 반대로 여성들이 주로 좋아하는 장르에는 여성 독자가 많아요. 매체에 따라 다르기도 한데 네이버나 다음과 달리 카카오의 경우 여성 유저들이 훨씬 많죠. 여성 유저들 중에는 20~30대 직장인 여성이 많은데, 그들은 본인이 보고 싶은 콘텐츠를 결재하는데 있어 인색하지 않아요. 반면 남성들은 100원, 200원 아끼려고 무료가 될 때까지 기다리거나 어둠의 경로를 이용해 공짜로 보려는 경향이 있죠.

그래서 직장인 여성들과 공감대를 형성하는 스토리, 그들이 좋아하는 취향의 콘텐츠를 만들어주면 쉽게 결재를 하기 때문에 작가 입장에서는 수익을 얻기 좋죠. 그런 식으로 30대 여성 취향의 작품을 꾸준히 그리며 돈을 꽤 버는 작가들이 많이 있어요. 여기서 매력적인 사실은 이 일이 자본이 들지 않는다는 거예요. 내 아이디어와 노력만으로 돈을 벌 수 있다는 거죠. 요즘 10대들이 가장 원하는 직업으로 가수나 배우, 웹툰작가가 상위에 랭크되는 이유가 여기에 있는 것 같아요. 학벌과 상관없이 내 능력과 노력만으로 성공할 수 있으니까요. 내 건강이 허락하는 한 정년퇴직도 없고요.

외국의 웹툰작가에 비해 국내의 대우는 어떤가요?

편 외국의 웹툰작가에 비해 국내의 대우는 어떤가요?

손 일단 외국은 작품이 올 컬러고 페이가 장당 30만 원이 넘으니까 수익 면에서 보자면 대우가 좋다고 볼 수 있죠. 우리나라의 경우 한 회당 페이를 주는데 외국의 대우에는 못 미쳐요. 외국처럼 대우가 좋다면 자부심도 더 생기고 그림도 더 열심히 그리게 될 것 같아요. 그림 그리는 재미, 콘텐츠를 생산해 내는 재미도 있을 것 같고요. 요즘은 출판사나 플랫폼이 많이 생기고 활성화되고 있어서 다행인데 얼마 전만 해도 웹툰을 올릴 수 있는 매체는 네이버나 다음 밖에 없었어요. 작가들은 많은데 연재할 매체는 적었죠. 그런데도 대학이나 학원에서는 매년 만화학과 졸업생을 배출했고요. 웹툰작가를 하겠다는 사람이 점점 많아지고 있으니 연재할 곳도 많아졌으면 좋겠어요. 아직은 국내 시장 규모에 비해 작가들이 많기 때문에 후배들에게 꼭 한국 시장만 고집하지 말라고 해요. 해외 시장으로 눈을 돌려서 더 넓은 세계를 경험해보라고 충고하죠.

편 경쟁이 치열할 것 같아요.

손 네. 앞서 얘기했듯이 웹툰작가가 점점 많아지다 보니 경쟁이 치열해지고 있어요. 신인 작가들은 조석 작가나 기안84 작가가 인기가 많으니 그들과 비슷한 작품을 시도하기도 하지만 아직은 그들이 건재하고 있기 때문에 그것만으로는 안 되는 거죠. 살아남기 위해서는 경쟁력 있는 콘텐츠를 만들어야 해요. 참신한 아이디어가 있어야 하죠. 단순히 그림만 잘 그리는 것이 아니라요. 예전에는 인기 있는 웹툰이 영화화나 드라마화되는 경우가 많았잖아요. 요즘은 영화 시나리오가 나오면 먼저 웹툰작가와 협업해 연재를 해보는 경우도 있어요. 독자들에게 검증을 받는 거죠. 그리고 반응이 좋으면 투자를 받아 영화화하고요. 이렇게 다른 방향으로 시장을 개척해나가는 것도 경쟁에서 살아남는 방법 중 하나겠죠.

이 분야에 대한 수요가 많은가요?

편 이 분야에 대한 수요가 많은가요?

손 제 개인적인 생각으로는 수요가 점점 많아질 거라고 생각해요. 웹툰을 제작하는 환경이나 독자들과 만날 수 있는 매체도 더 발전하고 다양해질 거라 보고요.

편 현역에 있는 웹툰작가는 몇 명 정도인가요?

손 현역에서 만화를 그리는 작가는 2,000명이 넘는 걸로 알고 있어요. 그 중에 80퍼센트 정도가 웹툰을 하고 있다고 보면 될 것 같고요.

이 직업만의 매력과 장점은 무엇인가요?

편 이 직업만의 매력과 장점은 무엇인가요?

손 해병대들이 그런 얘기 많이 하잖아요. 누구나 해병이 될 수 있었다면 나는 해병이 되지 않았을 거라고요. 저도 똑같이 말할 수 있어요. 누구나 작가가 될 수 있었다면 저는 작가가 되지 않았을 거예요. 이 일은 나만 할 수 있을 것 같은 데에 그 매력이 있어요. 창작이라는 걸 누구나 할 수는 없으니 나는 선택받은 사람이라고 느끼게 해주죠. 작은 책상 위에서 세상을 다 가질 수도 있어요. 마법 같은 일이죠. 또 연예인만큼의 팬 수는 아니지만 내 작품을 좋아해주는 팬들이 있고, 내 이야기를 통해 즐거움과 감동을 느끼는 독자들이 있다는 건 정말 멋진 일이에요. 이건 직접 작가가 돼보지 않으면 알 수 없어요.

이 직업의 단점에 대해 알려주세요.

편 이 직업의 단점에 대해 알려주세요.

손 보통 많은 사람들이 웹툰작가라고 하면 자유로운 생활을 떠올려요. 그런데 실상을 보면 출퇴근 시간에서 자유로운 건 맞지만 깨어있는 시간의 대부분을 일하다 보니 항상 시간이 부족해요. 마감에 맞춰 연재를 하기 위해 하루에 4시간만 자고 일하는 대도 시간은 턱없이 부족하죠. 평범한 직장인들처럼 퇴근한 후 여가 시간을 이용해 취미생활도 하고 싶은데 하루 종일 앉아 원고를 써야 하니 운동할 시간도 없고요. 그래서 자꾸 배도 나오고 건강도 안 좋아졌어요.

작가의 입장에서 좋은 작품이란 어떤 것인가요?

편 작가의 입장에서 좋은 작품이란 어떤 것인가요?

손 좋은 작품이란 독자에게 재미와 감동을 주는 작품이라고 생각해요. 여기서 말하는 재미는 무조건 웃겨야 하는 재미를 말하는 건 아니에요. 제가 의도하는 재미는 작품의 장르에 따라 계속 달라져요. 이번 작품에서 의도하는 바가 독자들을 분노케 하는 것이라면, 독자들이 제 작품에 몰입해 캐릭터와 함께 분노하는 재미를 느껴보길 바라는 거죠. 작품을 읽는 순간만큼은 캐릭터의 상황에 공감하고 같이 화도 내면서 감정을 움직이는 것, 그게 제가 추구하는 재미예요. 그림을 잘 그린다고 무조건 좋은 작품은 아니지만 열심히 그리려고 노력해요. 정성껏 그린 컷 하나하나가 일부러 내 작품을 보러 오는 독자들에게 보내는 선물 같은 거라고 생각하니까요. 독자들이 남긴 '수고하셨습니다.', '잘 봤습니다.'라는 댓글 하나하나가 소중하게 느껴져요. 그렇게 독자와 소통하는 작품이 좋은 작품 아니겠어요?

새로 도전해보고 싶은 장르가 있나요?

작가들을 보면 각자 본인의 나이에 맞는 이야기를 쓰는 거 같아요. 데뷔 초창기 때는 학원물이나 판타지 장르의 이야기를 주로 썼던 작가들도 나이가 들수록 그런 이야기를 쓰는 게 힘들어진대요. 점차 우리 사회의 어두운 현실이나 사회적인 사건들에 눈길이 가면서 시사성을 띈 이야기를 하고 싶은 거죠. 무겁거나 역사적인 주제를 다루기도 하고요. 저 역시 계속해서 다른 이야기를 해왔어요. 지금은 새로운 장르에 대한 욕심보다는 해외 시장에 도전하고 싶은 꿈이 있어요. 이 꿈은 문하생 시절 그림에 재주가 없다는 소리를 들을 때부터 있었어요. 선배들은 비웃었고, 저는 그럴수록 드로잉 공부를 더 열심히 했어요. 지금은 드로잉으로 어느 정도 인정받고 있으니 도전해보려고요. 프랑스에서도 테스트를 받았는데 반응이 좋았어요. 매니지먼트사에서 제 작화를 봤는데 마음에 든다고 저를 위한 스토리를 다시 준비하겠다는 거예요. 그래서 기다리는 중인데 프랑스 사람들은 여유를 가지고 느린 템포로 일을 진행하니까 빨리빨리 방식에 익숙한 저만 초조해하고 있어요. 중국이 됐든 미국이 됐든 예전에는 쉽게 그곳 문을 두드릴 수가 없었지만 지금은 메일만 보내면 되잖아요. 메일 몇 통 쓰는

게 어려운 일은 아니니까요. 아는 선배도 계속해서 미국 시장에 오퍼를 했는데 결국 너의 콘텐츠가 나를 감동시켰다는 메일을 받았어요. 그리고 지금 미국에서 연재 중이죠. 한정된 플랫폼 안에서 경쟁하고 있는 후배들에게 자신의 색깔과 맞는 곳을 찾아 세계 시장으로 눈을 돌려도 충분히 경쟁력 있다고 말해주고 싶어요.

편 롤모델로 삼고 있는 작가 또는 작품이 있나요?

손 제 롤모델은 허영만 선생님이에요. 선생님은 항상 다른 사람보다 한 발짝 앞서가셨고 후배들이 나아갈 길을 열어주셨죠. 그 덕에 더 나은 환경에서 일하게 된 사실을 감사하게 생각해요. 저도 그런 선배가 되려고 노력하고 있고요. 선생님의 작품은 내가 그 나이가 되어서도 이런 작품들을 할 수 있을까 고민하고 생각하게 만들어요. 아직도 선생님의 작품에선 열정이 고스란히 느껴지거든요. 선생님의 왕성한 활동에 영향을 받아 담배를 끊게 되었어요. 어느 날 밤을 새며 작업을 하는데 담배를 많이 피웠더니 다음날 너무 피곤해서 정말 죽겠더라고요. 지금도 이렇게 힘든데 더 나이가 들면 버틸 수 있을까 싶었어요. 선생님처럼 되고 싶은데 벌써부터 체력이 따라주지 않는다는 사실이 충격으로 다가왔죠. 작품을 오래 하기 위해 일단 내가 할 수 있는 게 뭘까 생각했고 우선 담배와 술을 끊었어요.

편 하루 종일 일하면 지겹거나 힘들진 않으세요?
손 대신 놀 때 남들보다 더 열심히 놀죠. 긴 휴가가 생겼다면 일본이나 미국에 가서 온종일 만화와 관련된 것들을 찾아보거나 수집도 하고요. 요즘 저는 캠핑에 재미를 붙였어요. 캠핑에 필요한 장비가 정말 많잖아요. 아이들과 하나씩 사 모으는 것도 재미있더라고요. 가족들과 1박 2일이나 2박 3일 정도 캠

핑을 하는데 그때만큼은 아무것도 생각하지 않고 자연 속에서
몸과 마을을 회복하는 시간을 갖죠.

웹툰 시장의 미래는 어떨까요?

편 웹툰 시장의 미래는 어떨까요?

손 앞으로도 웹툰 시장은 건재할 거라고 생각해요. 다만 더 다양한 플랫폼들이 생기길 바라죠. 지금 포털은 네이버와 다음이 독점한다고 볼 수도 있거든요. 포털과 플랫폼은 차이가 있어요. 포털은 굳이 작품을 판매해서 수익을 내지 않아도 돼요. 작가들 고료를 광고수익에서 주는 구조라 작품의 유저들만 많으면 유저 수에 따라 광고수익이 많이 나니까요. 아시다시피 포털은 뉴스, 영화, 책, 뮤직 등 여러 카테고리가 있는데 그 중 하나가 웹툰인 거고, 플랫폼은 오직 웹툰만으로만 승부를 보는 매체예요. 플랫폼 회사는 작가에게 선투자를 해요. 고료를 먼저 주고 작품이 판매되면 회사에 수익이 나는 구조라 작품이 팔리지 않으면 당연히 손실을 입기 때문에 수익이 잘 나오는 성인물이나 자극적인 장르를 선호하게 되죠. 플랫폼들이 그런 방향으로 가는 게 다 수익구조 때문이에요. 개인 사업자들은 결국 수익구조에 맞춰 움직일 수밖에 없기 때문에 다양한 장르의 웹툰을 활성화하고 문화콘텐츠 사업을 육성하기 위해서는 정부의 적극적인 지원이 필요해요.

편 독자들에게 바라는 점이 있나요?

손 만화는 어렸을 때만 보는 유치한 취미로 생각하는 분들이 많아요. 사실 지금 연재되는 많은 웹툰을 보면 나이가 들수록 공감하기 어려울 수도 있어요. 포털에 있는 많은 웹툰이 초, 중, 고등학생을 타깃으로 하는 내용이 많거든요. 넓은 독자층을 확보하기 위해서는 더 다양한 연령층을 아우르는 작품이 필요해요. 충분히 공감만 된다면 어른들도 쉽게 다가가고 좋아할 수 있는 게 만화라는 매체잖아요. 〈미생〉 같은 경우 자신의 삶에서 승리하기 위한 사회 초년생들의 고군분투를 잘 그려내 반응이 거의 폭발적이었죠. 텔레비전 드라마로도 제작됐고요. 그런 작품들이 더 많이 나오길 바라요. 독자가 나이를 먹어가면서 이제 만화 같은 건 안보다고 말하는 현실이 슬퍼요. 그래서 일본의 오타쿠ォタク. 한 분야에 마니아나 전문가 이상으로 빠져든 사람나 미국의 키덜트Kidult. 키드(kid)와 어덜트(adult)의 합성어로 어른이 되었는데도 여전히 어린이의 감성을 추구하는 것문화를 부러워하죠. 거기선 한 번 팬은 영원한 팬이잖아요. 배우가 스펙트럼 넓은 연기를 하듯 웹툰작가도 다양한 분야의 장르를 넘나들 줄 알아야 한다고 생각해요. 학원물을 좋아했던 독자가 나이가 들어 로맨스나 드라마 장르를 선호한다면 거기에 맞춰 새로운 이야기를 보여줄 수 있어

야 하니까요. 그런 유대가 이어져 초반에 내 작품을 좋아했던 팬들과 새로운 작품으로 계속해서 만난다면 정말 좋겠네요.

편 과거의 만화 시장이 종이라는 한정적인 틀 안에 있었다면 지금은 만화를 소비하는 매체가 다양해졌어요. 앞으로는 어떤 플랫폼을 기반으로 만화산업이 성장할까요?

손 원 소스 멀티 유즈One Source Multi Use는 하나의 콘텐츠를 개발해 그것을 영화나 게임, 애니메이션, 책, 캐릭터산업 등 다양한 방식으로 활용해 부가가치를 극대화하는 전략을 말해요. 투자비용은 최소로 하고 수익은 높일 수 있는 장점이 있죠. 웹

툰작가는 원고를 제작하고 플랫폼은 원고를 판매하는 단순한 방식에서 벗어나 원 소스 멀티 유즈를 도입해 수익구조를 다양화한다면 작가와 플랫폼이 동반성장할 수 있다고 생각해요. 인기가 많은 웹툰이 있다면 캐릭터를 각종 생활용품으로 만들어 판매하거나 영화나 게임화하기도 하는 거죠. 개별 마케팅 비용은 줄고 수익구조는 다양해지며 서로의 영향을 받아 제품 판매가 촉진되는 시너지 효과_{하나의 기능이 다중으로 이용될 때 생성되는 효과}를 줄 수 있으니까요. 그밖에 기업이 직접 작가를 찾아 원하는 작업을 의뢰하고 작업에 필요한 환경을 지원하는 형식도 가능하다고 보고요.

웹툰작가의 세계

!

웹툰을 연재할 수 있는 곳은 어디인가요?

편. 웹툰을 연재할 수 있는 곳은 어디인가요?

손. 포털과 플랫폼에 연재할 수 있어요. 포털은 네이버와 다음이 대표적이고, 플랫폼은 투믹스, 탑툰, 봄툰, 넥스큐브, 북큐브 등 정말 다양하죠. 요즘은 카카오페이지처럼 모바일 상에서도 웹툰을 연재하는 추세고요.

편. 웹툰에서 인기 있는 작품들이 단행본이나 e북으로 출간되는 건가요?

손. 단행본은 인기와 상관없이 작가가 출간 여부를 선택해요. 네이버의 경우 연재를 끝낸 완결 작품을 계속해서 무료로 볼 수 있게 놔둬도 되고, 수익을 내기 위해 유료화시키고 싶다면 N스토어에 다시 유료로 연재해요. e북은 계약을 따로 하는 걸로 알고 있어요. 작가는 연재가 끝나면 e북으로 다시 출간할지를 선택하고 계약을 맺어요. 중요한 점은 독점으로 갈 것이냐, 비독점으로 갈 것이냐인데 네이버 같은 경우는 독점이에요. 네이버와 계약하면 네이버 외에는 연재할 수 없죠. 비독점일 경우 A 플랫폼에 연재했던 작품을 B 플랫폼이나 C 플랫폼과 다시 계약해서 동시에 연재할 수 있어요. 작품이 다양한 유저들에게 공개될 수 있고, 수익 면에서도 유리하죠.

편 단행본이 출간되면 판매가 잘 되나요?

손 판매율이 그리 높지는 않아요. 그래서 출판사에서도 대량으로 인쇄하지는 않죠. 〈삶의 발톱〉 같은 작품은 저도 출판하고 싶었는데 시장 경기가 좋지 않다 보니 고민되더라고요. 올 컬러로 제작하면 비용이 많이 나오니 그런 부분에서 부담이 많이 되는 거죠. 퀄리티가 있는 작품이라 제 팬들은 지금도 〈

삶의 발톱〉이 단행본으로 나오기를 바라요. 그런데 출판을 못 했어요. 아쉬운 일이죠.

편. 그럼 단행본으로 출간된 건 한 권도 없으세요?

손. 〈대 악마 첩보기관 A.D.I〉 등 단행본으로 출간된 게 몇 권 있죠. 웹툰 작품을 단행본으로 출간하는 게 쉬운 일은 아니 에요. 그래서 개인이 소장본으로 몇 권 뽑아서 팬들에게 인터 넷 판매를 하는 경우도 있어요. 그렇게 뽑은 것들은 다 팔리더 라고요.

주로 작업하는 곳은 어디인가요?

편 주로 작업하는 곳은 어디인가요?

손 저는 주로 제 화실에서 문하생과 함께 작업하고 있어요. 웹툰작가들의 작업실 공간은 다양해요. 부천만화영상진흥원에서는 작가들에게 사무실을 제공하고 있고, 부산시에서도 작가들을 위해 공간을 지원하고 있어요. 그 밖에도 지자체의 다양한 지원 사업으로 새로운 작업 공간들이 생겨나고 있는 걸로 알고 있어요.

작가님이 사용하는 장비와 프로그램이 궁금해요.

편 작가님이 사용하는 장비와 프로그램이 궁금해요.

손 이번에 와콤 신티크라는 장비를 장만해서 사용하고 있어요. 전에는 와콤 인튜어스를 썼는데 최근에 바꿨어요. 신티크로 스케치업하고 클립 스튜디오나 포토샵 프로그램을 이용해 드로잉 작업을 하죠. 프로그램마다 장단점이 있으니 비교해보고 본인에게 맞는 걸 찾으면 돼요.

와콤 신티크 27인치와 듀얼모니터

편 장비가 비싼가요?

손 장비가 다양한 만큼 가격대 역시 다양해요. 제가 구입한 와콤 신티크는 300만 원이 좀 넘어요. 클립 스튜디오는 세일할 때 구매했고요. 가끔 세일을 하니까 그때를 이용해 구매해도 좋겠네요. 클립 스튜디오는 일본에서 만든 만화 전문 프로그램인데 다양한 기능을 가지고 있어요. 일본 작가들은 수작업으로 작업하는 경우가 많고, 우리는 디지털 웹툰이 활성화되어 있어서 그런지 우리나라에서 잘 팔린다고 하네요.

작업용 단축키 입력
키패드

편 직접 그리는 일은 없나요?

손 예전에는 수작업으로 작업을 했는데, 지금은 거의 디지털 작업을 하고 있죠.

웹툰이 우리의 삶에 어떤 의미가 될 수 있을까요?

편 웹툰이 우리의 삶에 어떤 의미가 될 수 있을까요?

손 웹툰은 그저 보는 것만으로도 우리를 즐겁게 해주잖아요. 우리는 평범한 사람들의 일상을 그린 작품을 보고 공감하며 은근한 미소를 지어요. 치밀한 설계에서 비롯한 유머에는 한바탕 자지러지게 웃을 수도 있어요. 캐릭터에 감정을 이입해 부조리한 상황에 함께 분노하기도 해요. 작가의 탄탄한 연출로 공포와 서스펜스를 느끼기도 하죠. 철없고 미숙하기만 한 주인공의 모습에서 한때의 자신을 발견하며 묘한 감정에 휩싸이기도 하고요. 이렇게 건강한 방식으로 감정을 표출하며 즐거움을 느끼는 것, 중요한 일 아닌가요? 웹툰작가가 되는데 스펙이나 나이, 성별은 상관없어요. 그런 제약이 없는 열린 플랫폼이기에 다양한 취향을 가진 작가들이 생겨났죠. 다양한 색의 웹툰이 생겨났고요. SF, 판타지, 스릴러, 유머, 일상의 소소한 풍경, 역사 등 본인의 취향에 맞는 장르를 골라 볼 수 있어요. 또 웹툰은 멀리 가지 않고도 인터넷만 켜면 손쉽게 볼 수 있죠. 접근성이 좋아 심심하고 무료할 때, 잠깐 머리를 식히고 싶을 때, 크게 한 번 웃고 싶을 때 언제든 꺼내 보며 웃기도 하고 마음을 달래기도 해요. 지금은 만화책을 다 보면 그냥 덮어버리던 때와 달라요. 바로바로 작가와 독자가 소통할 수 있죠. 댓글이나 작가의 말, 각종 SNS를 통해서요. 피드백을 주고받으며 다른 사람들의 의견을 수용하거나 작품의 주제를 토론하면서 내 생각을 말하는 것도 우리를 성숙하게 해준다고 생각해요. 작가의 입장에서는 소통 그 자체로 내가 보낸 메시지가 의도대로 전달됐는지, 재미있게 보는지 독자들의 반응을 확인할 수 있어 좋고요.

편 웹툰작가가 되고 싶은 학생들은 다양한 작품들을 보는 게 중요할 것 같아요.

손 다양한 색의 웹툰을 보는 것도 중요하지만, 영화나 책도 많이 봤으면 좋겠어요. 영화 역시 로맨스, 드라마, 액션, 서스펜스, 공포, SF 등 다양한 장르가 있잖아요. 그런 영화들을 보거나 여러 분야의 책을 읽으면서 내공을 쌓는 거죠. 전문가처럼 깊은 지식을 쌓지는 않더라도 많이 접해볼수록 좋다고 생각해요. 사람은 누구나 모든 걸 경험할 수 는 없잖아요. 영화나 책이 아니더라도 가능하면 간접경험을 많이 해보며 사회 문화 전반을 알아가다 보면 후에 다양한 장르를 하는데 도움이 될 거예요.

웹툰작가의 일과는 어떻게 되나요?

편 웹툰작가의 일과는 어떻게 되나요?

손 보통 밤을 새고 아침이 되어서야 자기 시작해요. 그러다 점심때쯤 일어나서 컴퓨터를 켜요. 이런저런 뉴스를 검색하며 오늘은 무슨 일이 있었나 보는 거죠. 밥도 먹고, 원고 작업을 시작해요. 순서대로 한다기보다는 모니터가 두세 개 있으니까 한 화면으로는 뉴스를 보고, 다른 화면으로는 작업하면서 중간중간 밥도 먹는 거예요. 가끔 일을 보러 나가고 사람들도 만나지만 농담처럼 눈 뜨자마자 책상으로 가서 눈 감을 때쯤 책상에서 내려온다고 해요. 농담이긴 하지만 저는 취미생활도 책상 위에서 하니 하루 종일 책상에 앉아서 모든 걸 한다고 볼 수도 있죠.

편 가장 오래 앉아 있었던 때는 언제예요?

손 전에 한 70시간을 책상 위에서 보냈어요. 마감 때라 3일 정도를 그렇게 지냈더니 몸이 붕 뜨는 느낌이 들었어요. 잠시 후 바닥이 올라오는 것처럼 느껴지고 시야가 막 돌아가더라고요. 의자를 꼭 붙잡고 있다가 기어서 바닥으로 내려왔는데 구토가 심하게 났죠. 정말 죽을 것 같아서 119에 연락했어요. 구급차에 실려 가는데 구조대원이 술을 마셨는지, 담배를 피웠는지 물어봐요. 둘 다 안 했다고 했죠. 그럼 과로했냐고 물어보는데 과로는 못 끊었다고 말하면서 속으로 아찔했어요. 하루 반나절 쉬었더니 괜찮아졌지만 마감은 항상 다가오니 체력을 더 길러야겠어요.

시간이 날 때는 어떤 일을 하나요?

편 시간이 날 때는 어떤 일을 하나요?

손 시간이 나면 자전거도 타고, 가족들과 캠핑도 해요. 일을 하다 보면 가족들과 마주할 시간이 별로 없어요. 주간 연재 작품을 하면 거의 일주일에 한 번 집에 들어가거든요. 아이들과 많이 놀아주지를 못하니까 쉬는 날은 어떤 식으로든 가족들과 함께 보내려고 노력하죠. 주변 작가들을 보면 작품에 몰입하느라 가족에게 소홀한 경우가 많아요. 생활비를 벌기 위해서

는 어쩔 수 없는 일이긴 하지만 가장 중요한 게 무엇인지를 고민해봐야겠죠. 저 같은 경우 가족들이 제 상황을 많이 이해해주려고 해서 고맙게 생각해요.

그리고 시간을 내서 후배들과 스터디도 하고 있어요. 학회가 있으면 예비 작가들을 모아놓고 스터디를 하고요. 물론 돈은 받지 않고 가르쳐 주죠. 스터디가 끝나면 밥도 사주고요. 그렇게 후배들과 만나 얘기하는 게 즐겁고, 제가 도움이 된다는 사실이 좋아요. 실은 그런 만남들이 저를 덜 외롭게 만들기 때문에 저 역시 그들에게 큰 도움을 받고 있다고 생각해요.

배경에 사용할 풍경 사진을 찍으러 다니기도 하나요?

그렇죠. 일부러 찍으러 다니기도 하지만, 좋은 풍경이나 작품에 들어가면 좋을 장면을 만나면 바로바로 카메라에 담아요. 예전에는 필름 카메라를 사용했잖아요. 오래전 저희 선생님의 경험담이에요. 한 일본 작가가 본인이나 동료들은 디테일하게 사진을 찍고 작품에 묘사하는데 한국 작가들은 디테일 면에서 수준이 떨어진다고 한 거예요. 그 얘길 들은 선생님이 화가 나서 캐비닛을 열어 빼곡하게 쌓여있는 필름들을 보여주셨어요. 우리가 사진 샘플을 찍으러 다니는 열정이나 노력이 부족한 게 아니라 열악한 환경에 있다 보니 필름을 현상할 돈이 없어서 그런 거다, 우리도 충분히 사진을 통해 디테일한 묘사를 할 수 있지만 못하고 있다는 걸 보여준 거죠. 그때는 열심히 찍어놓고도 현상비가 비싸니 그대로 묵혀뒀지만 요즘 후배들은 스마트폰을 가지고 다니며 바로 찍고 인화지나 모니터로 바로 출력하죠. 또 예전에는 어떤 장소를 자세히 그리기 위해서는 직접 발품을 팔며 돌아다녔는데 요즘은 인터넷으로 검색하면 바로 볼 수 있으니까 상대적으로 작업 환경이 많이 좋아졌다고 볼 수 있어요.

현재 일을 잘 수행하기 위해
따로 노력하고 있는 것이 있나요?

편 현재 일을 잘 수행하기 위해 따로 노력하고 있는 것이 있나요?

손 지금은 컨디션 조절에 가장 많은 신경을 쓰고 있어요. 작업하는 시간이 길고 마감 때는 정말 바쁘기 때문에 몸과 마음의 상태를 일정 수준으로 유지하는 게 중요하죠. 과로로 인해 쓰러진 적이 몇 번 있기 때문에 가능하면 과로하지 않고, 체력을 기르기 위해 노력하고 있고요. 한창 공부할 때는 드로잉 연습을 많이 했어요. 저는 예전에 최고로 배경을 잘 그리는 사람이 되고 싶었어요. 배경맨^{배경화가. 움직이는 대상인 캐릭터를 제외한 배경을 그리고 채색하여 완성한다}들도 실력에 따라 대우가 달라졌거든요. 선배에게 A급 대우를 받기 위한 방법을 물었어요. 건물처럼 직선인 것들은 자를 대고 그리면 되니 자를 대고 그릴 수 없는 것들, 자연물이나 자동차 같은 것들을 연습하라고 했죠. 자동차의 디테일이나 자연물의 묘사를 보면서 작가의 수준과 레벨이 결정되던 시기였죠. 그래서 틈만 나면 자동차나 풀, 돌, 나무, 불, 물 같은 것들을 보며 연구하고 그랬어요. 그런 노력이 있어서 그런지 〈삶의 발톱〉을 본 사람들이 디테일한 자연 배경을 보고 놀라더라고요. 건물을 그리는 것도 단순하지만은 않아요. 구도나 소실점에 대해 알아야 하고, 건축 설계하듯 3D로 만든다면 3D도 공부를 해야 하죠.

편 많이 그려볼수록 그림 실력이 느나요?

손 보통 가장 많이 하는 말이 기본기에 충실하라는 얘기예요. 기본기를 제대로 익히는 게 가장 중요한데 어떻게 보면 그게 그림 그리기의 전부이기 때문이에요. 그림이라는 게 기본기만 잘 익혀두면 그 뒤는 본인이 하기 나름이죠. 그럼 그림의 기본기는 무엇일까요? 바로 그림의 구도를 이해하고 드로잉 실력을 쌓는 것이에요. 구도가 틀리고 눈높이가 맞지 않는 그림은 보기 불편해요. 한 프레임에 사람이 앞뒤로 서 있는데 구도가 맞지 않으면 뒤에 있는 사람은 허공에 붕 떠 있는 듯 보이죠. 구도가 맞아야 보는 사람 입장에서 어색하지 않고 편안한 그림이 되는 거예요. 드로잉도 마찬가지예요. 많이 그려보며 실력을 쌓아야죠. 캐릭터에 너무 힘이 들어가 사람이 마치 로봇 같아 보이는 경우가 있는데, 드로잉 실력이 아직 받쳐주지 않아서 그래요. 초보 모델들은 연습을 거듭할수록 몸에 힘

이 빠지고 경직된 근육들이 풀어지며 포즈가 한결 자연스러워
지잖아요. 웹툰 캐릭터도 마찬가지예요. 드로잉 연습을 많이
할수록 실력이 늘고 캐릭터에서 힘이 빠지게 돼요. 독자들도
이야기에 집중하며 편하게 감상할 수 있게 되고요.

웹툰작가이기 때문에 겪는 애로사항이 있나요?

🔲 웹툰작가이기 때문에 겪는 애로사항이 있나요?

🔲 앞서 웹툰작가가 하는 일에서 얘기했듯이 저희는 모든 과정을 혼자 해내야 해요. 영화를 예로 들어 볼게요. 영화 한 편이 완성되기 위해서는 감독, 시나리오작가, 촬영감독, 조명감독, 미술감독, 배우 등 수많은 제작진이 필요하죠. 그들 각자는 자신의 일만 수행해나가면 돼요. 감독은 연출만, 배우는 연기만 하는 거죠. 그런데 저희들은 기획도 하고, 취재도 하고, 대본도 쓰고, 연출도 하고, 글도 쓰고, 그림도 그려요. 그 모든 걸 마감 기한 안에 해야 한다는 것이 가장 큰 애로사항이에요. 시간이 너무 모자라요.

🔲 혼자 그 일을 다 하려면 그림만 잘 그린다고 할 수 있는 건 아닌 것 같아요.

🔲 맞아요. 그림과 더불어 사진이나 영화, 색 공부를 해두면 좋을 것 같아요. 저는 잠깐 영화 연출을 공부했는데 그 경험이 지금 이 일을 하는데 많은 도움이 되거든요. 우리는 작은 프레임 안에 장면을 그려 넣잖아요. 그냥 생각나는 대로 바로 그

려 넣는 건 아니에요. 텔레비전 드라마나 영화를 보며 인물들이 등장해서 움직이는 동선을 관찰하며 분석해봐요. 계속 보다 보면 처음에 보이지 않았던 것들이 보여요. 그런 식으로 연구를 하면서 카메라 워킹을 연출하듯 앵글을 잡고, 좋은 비율을 찾아 그리는 거죠. 사진처럼 노출을 줘서 몽환적인 분위기를 연출하고 싶다면 이미지를 흐릿하게 만들어주는 블러 효과를 주고요. 또 중요한 캐릭터는 선명하게 해주고 나머지 배경이 되는 캐릭터나 사물에 블러 효과를 줘서 좀 더 영화적인 연출을 하기도 해요. 전문가와 붙여도 지지 않을 취재력을 가진 작가들도 있어요. 그런 작가들의 꼼꼼한 사전조사가 전문화되고 까다로워진 독자들을 만족시키고 있죠. 윤태호 작가는 〈미생〉이란 작품을 하기 전에는 회사의 시스템은 물론 과장이 높은 직급인지 부장이 높은 직급인지도 모르는 사람이었대요. 그런 그가 작품을 위해 회사에 협조를 구하고 회의 때마다 뒤편에 조용히 앉아 회사의 시스템을 관찰하며 연구했어요. 그런 노력이 있었기에 〈미생〉이란 작품이 탄생한 거죠. 색 공부도 중요해요. 예전에는 흑백으로 그림을 그렸으니 흰색 톤과 검은색 톤만 배합하면 됐죠. 그런데 요즘은 색감, 색의 대비, 색이 주는 느낌이나 분위기까지 공부해야 해요. 색도 연출의 중요

한 요소니까요. 색 배합이나 조화가 잘 돼야 독자들이 편안하
게 볼 수 있거든요.

Job
Propose 11

일을 하면서 받는 스트레스는 어떻게 해소하나요?

편 스트레스도 많이 받겠어요.

손 피디^{PD}들과의 관계에서 스트레스를 받는 편이에요. 취재도 꼼꼼히 하고 연구도 많이 해서 작품을 만들어 가면 단번에 재미가 없다, 무슨 얘기를 하고 싶은지 모르겠다는 말을 툭툭 던지는 사람들이 있어요. 물론 제대로 읽고 피드백을 해주는 피디들도 있지만, 소재가 마음에 들지 않는다는 이유로 무조건 평가 절하하는 사람들이 있죠. 수익을 창출해야 하는 입장이니 대중들이 좋아하는 소재를 선호한다는 건 저도 잘 알아요. 그렇지만 그런 식으로 대중들의 입맛에 맞는 작품만 쓰다 보면 작가들끼리는 한정적인 소재 안에서 경쟁하게 돼요. 그런 구조가 마음에 들지 않아요. 창작하는 사람으로서 좀 더 다양한 이야기를 펼칠 수 있는 환경이 만들어지면 좋겠네요. 그리고 창작의 고통 끝에 만들어진 작품이 세상으로 다 나가지 못한다는 것도 슬픈 일이에요. 오랜 기간을 애써 만든 작품이 그대로 묻힐 때 허무해지기도 하죠. 한 번에 몇 개의 작품을 하는 이유가 거기에 있어요. 모든 작품이 연재되지는 않으니까요.

편 일을 하면서 받는 스트레스는 어떻게 해소하나요?

손 쉬는 날을 이용해 실컷 놀면서 스트레스를 풀어요. 그리고 저는 이 업계의 불합리한 현실이나 제가 겪은 상황을 동료나 후배들과 함께 고민하고 논의하는 편이죠. 지금까지 20년을 작가 생활로 먹고 산 사람이지만 대우가 그리 좋지 않을 때도 있잖아요. 그런 경험들을 이야기하는 거죠. 어떤 작가들은 그런 상황을 겪었다는 게 창피해서 쉬쉬해요. 마치 본인은 그런 일로 자존심 상한 적이 없었다는 듯 행동하죠. 어차피 저는 이 일을 계속 할 거고, 일 할 때마다 겪는 스트레스를 덮어두기는 싫어요. 후배들도 저 같은 경우에 놓일 때 대처할 수 있게 계속 얘기할 거고, 피디들에게도 할 말은 할 거예요. 짜증 나면 짜증도 낼 거고요.

해외에 수출되거나 번역된 작품도 소개해주세요.

편 인기가 많아서 해외에 수출되거나 번역된 작품도 소개해 주세요.

손 일본판 코미코Comico. 대한민국의 NHN 엔터테인먼트의 자회사인 NHN comico가 개 발 · 운영하는 스마트 디바이스용 무료 만화 · 소설 애플리케이션에 들어가 보면 한국 작 품이 다수 연재되고 있고, 인기 있는 작품도 많아 상위권에도 많이 포진되어 있어요. 요즘은 한국 작품인 〈뜨겁게 청소하라 〉가 상위권에 올라가 있던데요.

웹툰의 주요 독자층은 누구인가요?

편 웹툰의 주요 독자층은 누구인가요?

손 그게 정말 중요한 문제라 후배들이 작품을 준비할 때면 항상 그 얘기를 해줘요. 먼저 어디에 작품을 연재하고 싶은지 물어보는데 많이들 네이버라고 대답해요. '네이버의 독자층을 봐라, 40퍼센트가 초등학생인데 초등학생의 입맛에 맞는 작품을 그릴 수 있는지 물어보죠. 초등학생이 관심을 가질만한 소재, 그들이 좋아하는 그림체가 무엇인지 알고 거기에 특화된 선수가 돼야 한다고 알려주고요. 다음으로 가고 싶다고 하는 후배들도 있어요. 네이버에 비해 상대적으로 독자의 연령층이 높아요. 그래서 네이버가 유머나 판타지, 학원물 등이 강세라면 다음은 그 밖의 장르로도 승부를 볼 수 있겠죠. 전에 〈이블 어게인〉이란 작품을 여성 독자층이 두터운 플랫폼에 연재한 적이 있어요. 비현실적이고 비인간적인 세상이 잉태한 사이코패스가 부조리를 응징한다는 이야기인데 여성 독자들에게 외면당했죠. 다행히 비독점 계약을 맺어서 다른 플랫폼에도 연재를 했는데 그 쪽의 남성 독자들에게 어필해서 1등을 했어요. 독자층이 10대나 20대인지, 30~40대인지, 여성인지, 남성인지를 잘 파악하고 연재할 매체를 찾는 것이 그래서 중요하죠.

편 본인에게 맞는 플랫폼을 선택하는 것도 중요한 문제네요.

손 그럼요. 작품이 살기 위해서는 내 작품을 좋아해줄 독자가 누구인지를 먼저 찾아야 해요. 내 이야기가 어떤 계층과 소통할 수 있는지 알아야 하는 거죠. 여성들이 좋아하는 이야기, 청소년들의 관심을 끄는 이야기, 직장인들이 원하는 이야기는 분명 다르거든요. 그래서 후배들에게 그림보다는 그들의 이야기에 맞는 매체와 어필하는 방법, 시놉시스를 잘 쓰기 위한 팁 같은 걸 많이 알려줘요.

작품이 다양한 영상매체의 소재가 되기도 하나요?

편 작품이 영화화되거나 드라마나 게임 등 다양한 영상매체의 소재가 되기도 하나요?

손 윤태호 작가의 〈미생〉이나 〈내부자들〉이 드라마와 영화로 만들어져 흥행했어요. 최종훈 작가의 〈은밀하게 위대하게〉, 기안84 작가의 〈패션왕〉이란 작품들도 영화화됐죠. 그 외에도 수많은 작품들이 드라마나 영화로 만들어졌어요. 앞서 얘기했듯이 영화사에서 먼저 스토리가 나와서 웹툰으로 런칭을 해본 후 영화화되는 경우도 많고요. 제 작품 〈이블 어게인〉도 이번에 부산국제영화제 아시아필름마켓 시놉시스 부분에 선정이 돼서 PT를 하게 됐어요. 결과가 좋으면 제 작품 중 처음으로 영화화될 수도 있겠네요.

반대로 실화가 만화로
2차 창작되는 경우도 있던데요.

[편] 반대로 실화가 만화로 2차 창작되는 경우도 있던데요.

[손] 있죠. 실화에서 모티브를 가져오는 경우가 많이 있어요. 실제 일어난 사건 사고를 가져와 아이디어를 가미하고 작가적인 상상력을 덧붙여 새롭게 창작하는 거죠.

[편] 그럴 경우 스토리나 결말을 미리 알고 있는 독자들에게 어떤 방식으로 다가가야 할까요?

[손] 모티브를 가져온다고 해도 다큐로 가는 게 아니라 결말이 실제 사건과 같진 않으니 미리 알 순 없죠. 또 사건 그대로를 쓰는 게 아니라 모티브만 따오고 다른 이야기로 전개되는 경우도 있으니까요. 오히려 순수 창작 작품의 결말을 두고 작가들이 난처한 경우가 있어요. 독자들이 앞에 몇 화를 보고 결말을 예상해 댓글을 달았는데 그게 작가가 생각한 결말과 일치하는 일이 있거든요. 큰일 난 거죠. 내가 그렇게 뻔한 스토리를 쓰는 작가인가 하는 생각도 들고요.

편 그럴 때 수정하는 경우도 있나요?

손 네. 이야기의 전개를 바꾸는 작가들이 있어요. 저 역시 대본을 수정한 적이 있어요. 대사도 바꾸고 전개도 다르게 나갔어요. 〈삶의 발톱〉을 연재할 땐데, 원래의 의도대로라면 A라는 캐릭터는 살아남아서 어떤 일을 했어야 해요. 그런데 독자들에게 간파당해 그냥 죽게 만들었죠. 1990년대 후반에 김수용 작가의 〈힙합〉이라는 작품이 있었어요. 춤을 소재로 한 최초의 만화로 돌풍을 일으키며 100만 부 가까이 팔려 당시 초대형 베스트셀러에 등극했죠. 성태하와 바비라는 캐릭터가 나오는데 독자들은 동시대 작품인 〈슬램덩크〉의 캐릭터와 비교를 했어요. 성태하는 강백호고 바비는 서태웅이네. 이 둘이 티격태격하는 뻔한 성장물 아니냐고요. 졸지에 뻔한 이야기가 돼버리자 작가는 독자들이 예상한 대로 가지 않으려고, 바비라는 캐릭터를 미국으로 보내버리고 모든 이야기를 성태하가 끌고 가게 했죠. 바비를 좋아하는 팬들이 가장 많았기 때문에 새로운 전개에 독자들은 신선한 충격을 받았어요. 끝 부분에 바비가 마치 영웅처럼 다시 한국으로 들어오는데, 인기 있던 캐릭터가 다시 돌아오니 독자들은 또 열광했고요. 전개를 바꿔서 성공한 케이스죠.

성취감을 느끼는 순간이 있나요?

편 성취감을 느끼는 순간이 있나요?

손 앞서 얘기한 김수용 작가와 저는 고등학교 선후배 사이예요. 김수용 작가와 함께 모교를 방문해 특강을 한 적이 있죠. 학교를 빛낸 선배라는 타이틀 아래 강의를 했는데 '만화를 그리며 힘든 일, 어려운 일이 많았지만 견뎌내고 여기까지 왔더니 이런 자리에도 설 수 있구나!'하는 생각이 들어 뿌듯했어요. 오늘처럼 작가로서 인터뷰를 하는 것도 기쁘고요. 제 작품 중에 영화화하자는 얘기가 나온 게 있는데 결과가 좋아서 영화화가 되면 또 다른 성취감이 들 것 같아요.

편 작품 한 편이 완전히 끝나면 어떤 기분이 드나요?

손 얼핏 생각하기에 작품이 끝나면 후련할 것 같지만 보통 마감 우울증이라는 게 와요. 마치 배우가 영화를 한 편 끝낼 때와 같아요. 배우들은 본인이 연기한 캐릭터에 모든 에너지를 쏟아붓고 연기하는 동안은 그 인물이 되어 살기 때문에 현실로 돌아오면 한동안은 적응이 힘들고 우울해지기도 한다잖아요. 배우들처럼 작가들도 본인의 작품에 자신의 열정을 모두 쏟아내요. 그래서 마지막 연재를 마치는 순간 공허함과 공포감, 두려움이 밀려오나 봐요. 머릿속이 하얘지면서 온종일 기분이 가라앉죠. 마음을 추스르기 위해 마감 후 며칠은 완전히 쉬어요. 어느 정도 마음의 정리가 끝나면 다시 신작을 준비해요. 새로운 소재를 찾는 일부터 신인 작가와 다름없는 마음으로요.

웹툰작가가
되는 방법

작가로 데뷔할 수 있는 방법에는 어떤 게 있나요?

[편] 작가로 데뷔할 수 있는 방법에는 어떤 게 있나요?

[손] 웹툰작가가 되는 방법에는 몇 가지가 있는데 일단 원고를 만들어서 공모전에 출품하는 방법이 있어요. 가장 기본적인 방법이죠. 그리고 네이버에는 도전만화라는 카테고리가 있는데 여기에 작품을 올리고 독자들에게 인정을 받아 웹툰작가가 되기도 하죠. 그 다음 방법은 직접 기획서와 스토리를 쓴 후 플랫폼으로 찾아가는 거예요. 피디들과 이야기해보고 편집회의를 거쳐 통과되면 작품을 연재할 수 있죠. 마지막으로 에이전시에 들어가는 방법이 있어요. 에이전시에 소속돼서 작품에만 전념하고 나머지 부분은 에이전시에 일임하는 방법이죠.

[편] 공모전은 자주 있나요?

[손] 여기저기서 공모전을 많이 해요. 이 공모전이 큰 도움이 되고요. 그래서 저는 학생들에게 이렇게 얘기해요. "공모전을 준비해. 그러나 네가 당선되지는 않을 거야. 그럼에도 불구하고 공모전에 나가는 게 좋아"라고요. 왜 그런가 하면 많은 작가 지망생들이 생각보다 게으르기 때문이에요. 게으른 사람들

도 일단 공모전에 나가려면 스토리를 쓰고, 데생을 하고, 컬러 넣는 작업을 해야 해요. 하다 보면 마치 본인이 1등을 할 것처럼 최선을 다하게 되고 캐릭터에도 더 신경을 쓰죠. 열심히 그렸으니 당선되면 좋겠지만 대부분의 사람들은 그렇지 못해요. 이런 작업이 당선이라는 결과를 만들어내진 않지만 그 작품은 이 사람의 포트폴리오가 되는 거예요. 당선이 되지 않아도 최선을 다한 작품 한 편이 남는 거죠. 나중에 에이전시를 찾아가게 되더라도 공모전을 위해 작업했던 작품들이 있다면 포트폴리오로 만들어 보여줄 수 있잖아요.

편 에이전시에는 어떻게 들어가나요?

손 어느 정도 경력이 있으면 에이전시에서 먼저 연락이 오는 경우가 있어요. 그때 조건이 맞으면 에이전시에 들어가고요. 신인 작가 같은 경우는 본인의 원고를 에이전시에 보여주고 가능성이 보이는 작가라고 인정받으면 계약을 맺죠. 에이전시에 소속이 되면 작가는 웹툰 그리는 일에만 집중하고 포털이나 플랫폼에 영업을 하는 일 등은 에이전시에서 담당해요.

편 나이 제한은 없는 거죠?

손 그렇죠. 원고만 좋으면 나이는 상관없어요. 그런데 나이가 많은 작가의 경우 올드한 그림이 나오다 보니 계약이 잘 성사되지 않기도 해요. 웹툰을 즐겨보는 독자들을 보면 젊은 층이 단연 많기 때문에 포털이나 플랫폼은 트렌디한 그림체를 선호하죠. 그래서 저는 계속 그림체를 바꾸려고 노력해요.

이 일을 하기 위해서는 어떤 과정을 밟아야 할까요?

편 이 일을 하기 위해서는 어떤 과정을 밟아야 할까요?

손 일단 청소년들의 경우 꾸준히 그림을 그리는 게 좋아요. 무작정 아무 그림이나 그리기보다는 데생의 기초, 인체의 구조 같은 책을 보며 기본기를 다지는 게 중요해요. 학생들을 가르치면서 보니 기본 실력이 있는 학생들이 습득하는 능력이나 응용력도 좋더라고요. 또 아무것도 모르는 상태에서 배경이나 인물을 그리라고 하면 막막하거든요. 그렇지만 기본적인 것들을 공부해두면 훨씬 수월하겠죠. 대학이나 학원에서 만화를

전공하거나 문하생으로 들어가 경험을 쌓는 것도 좋겠어요. 1~2년 정도 문하생 생활을 하며 공부하다 보면 프로그램을 다루는 기술이나 테크닉도 배우지만 작가적인 마인드나 이 업계의 문화도 배울 수 있어 큰 도움이 될 거예요.

편 웹툰을 배울 수 있는 아카데미가 있나요?

손 있죠. 찾아보면 웹툰을 가르치는 아카데미가 많을 거예요. 그런데 그런 아카데미들은 일회성이거나 단기간만 진행하는 교육이라 그것보다는 다양한 작가들과의 만남을 추천하고

싶어요. 본인이 좋아하는 작가를 찾아가서 이야기를 나눠보세요. '웹툰작가가 되고 싶은데 궁금한 게 많아 찾아왔다, 가장 존경하는 웹툰작가라 만나고 싶었다.'라고 하면 대부분은 반겨줄 거라 생각해요. 저도 후배들은 다 예뻐서 시간이 되는 한 짧게라도 만나 그들의 이야기를 듣고 있어요. 그렇게 작가들을 찾아다니다 본인과 정말 잘 맞는 사람을 만나면 문하생으로 들어가는 것도 좋겠고요.

만화학을 전공하는 게 유리하다고 생각하세요?

편 만화학을 전공하는 게 유리하다고 생각하세요?

손 아무래도 만화나 애니메이션을 전공하고 체계적으로 배우게 되면 유리한 면이 있겠죠. 그런데 대학은 학생들을 과제나 학점관리에 너무 치이게 만드는 단점이 있어요. 또 각자의 개성을 존중하기보단 교수의 취향대로 그리게 해서 학생들의 상상력을 경직시키기도 해요. 그 시기에는 좀 더 말랑말랑하고 유연한 사고를 해야 하는데 말이죠. 마치 스펀지처럼 다양한 정보나 이야기들을 충분히 빨아들이고, 다시 빼내기를 반복한다면 좋을 것 같아요. 여러 가지 경험을 통해 새로운 자극에 항상 노출될 필요도 있고요. 그런데 과제를 위한 작업, 학점을 채우기 위한 작업만 끊임없이 하다 보면 정작 본인이 그리고 싶은 그림을 그릴 시간은 없게 돼요. 본인의 상상력을 마음껏 발휘해 창작하는 재미를 잃고 지겨움만 느끼는 경우를 종종 봤어요. 작가가 되려면 어떤 틀 안에 갇혀있지 않아야 해요. 그래서 저는 제 강의 시간을 즐겁게 노는 시간으로 만들어요. 놀다 보면 경직된 몸과 마음이 느슨해지면서 아이디어도 더 잘 나오죠. 전공을 하게 되면 좋은 점도 있어요. 같은 목표를 가진 학생들끼리 소통할 수 있다는 거예요. 함께 교류하며 그들만의 문화를 만들어가면서 다른 친구들은 어떤 생각을 가지고 있는지 알고 그 안에서 내 포지션을 찾아가는 것도 중요한 일이거든요.

청소년들은 학창시절에 어떤 준비를 하면 좋을까요?

편 학생들 중에는 이 직업을 꿈꾸는 친구들이 많을 것 같아요. 그런 청소년들은 학창시절에 어떤 준비를 하면 좋을까요?

손 글 쓰는 연습을 많이 했으면 좋겠어요. 물론 그림도 잘 그려야 하지만 스토리도 정말 중요하니까요. 미대를 가기 위해 어려서부터 그림을 그린 친구들 중에 웹툰작가가 되고 싶다는 학생들이 있는데 그런 친구들은 그림을 정말 잘 그리는 반면 글 쓰는 것에는 익숙하지 않죠. 어떤 이야기를 하고 싶은지 써 보라고 하면 막막해서 아무것도 못 써요. 그런 친구들에게 추천하는 방법이 일기쓰기예요. 저 역시 그날 있었던 일들을 자세하게 대화체로 풀어쓰면서 글쓰기 훈련을 했죠. 사람들과의 대화 내용을 대본처럼 만들기도 하고, 그때 느꼈던 감정들을 내레이션으로 풀어쓰기도 하고, 하나의 사건을 스토리로 만들어 쓰기도 하면서요. 이런 식으로 꾸준히 일기를 쓰다 보니 글쓰기가 어렵지 않게 됐어요. 스토리를 만들다 보면 캐릭터를 설정하는 것도 어려운 일 중 하나라는 걸 알게 될 거예요. 일상생활을 하면서 주변 사람들과 만날 때 그들의 습관과 성격, 행동 등을 자세히 관찰해보세요. 그들 한 명 한 명이 내 이야기의 주인공이라고 가정하고 그들의 행동을 주의 깊게 살펴보세요. 누군가를 기다리는 중에도 지나가는 사람들을 보며 어떤 사람일지 상상해보는 것도 좋고요. 그런 노력이 캐릭터를 설정하는 데 큰 도움이 될 거예요.

웹툰작가가 되기 위해 필요한 자격이 있나요?

편 웹툰작가가 되기 위해 필요한 자격이 있나요?

손 열정과 집념, 진심만 있다면 웹툰작가가 될 수 있어요. ^^

편 집중력도 필요할 것 같아요.

손 물론이죠. 집중력은 매우 중요해요. 당연히 가지고 있어야 해요. 체력도 필수고요. 집중력과 체력이 없으면 연재가 불가능하니까요.

외국어를 잘해야 하나요?

편 외국어를 잘해야 하나요?

손 잘해야 할 필요는 없지만 잘해서 나쁠 건 없죠. 개인적으로는 외국어 중에서도 일본어를 잘하면 좋겠더라고요. 좋은 일본 애니메이션이 많은데 그것들을 자막 없이 볼 수 있는 사람들이 정말 부럽거든요.

편 외국에 가서 많은 것을 보고 느끼고 오면 도움이 될 것 같아요.

손 사람마다 여행을 통해 얻는 것들이 다르니 도움이 될지도 각자 다르겠죠. 휴식을 취하며 머리를 비우는 것, 다양한 문화를 배우는 것, 여행의 기록을 담은 사진들이 작품을 하는데 도움이 되는 사람도 분명 있을 거라 생각해요.

좋은 웹툰작가가 되기 위해서는
어떤 자질을 갖추어야 하나요?

편 좋은 웹툰작가가 되기 위해서는 어떤 자질을 갖추어야 하나요?

손 일단 쉽게 좌절하지 않는 마음자세가 필요해요. 데뷔가 늦어지더라도, 데뷔는 했는데 다음 작품이 연재되지 않더라도, 연재는 됐는데 반응이 좋지 않더라도 좌절하지 않고 계속 그려야 하지 않겠어요? 그리고 긍정적인 마인드를 가진 사람이라 어떤 상황에서든 재미를 찾을 수 있으면 좋겠어요. 그런 사람들이 오래가더라고요.

편 웹툰작가로 데뷔하기가 어려운가요?

손 젊고 패기가 있을 때는 도전이 쉬워요. 그런데 시간이 갈수록 겁도 나고 걱정도 많아져서 소심해지기도 하죠. 제 문하생도 데뷔할 시기가 좀 지나 있었어요. 안 되겠다 싶어서 일단 제 신작에 스토리를 쓰게 했죠. 전체적인 가이드라인을 잡고, 캐릭터를 설정하고, 어떤 이야기를 하고 싶은지 설명한 다음 거기에 맞는 스토리를 써 보라고 했어요. 함께 캐릭터를 분석

하면서 이야기를 만들어나갔죠. 그렇게 스토리작가로 우선 데
뷔시켰어요. 데뷔할 시기를 놓쳤는데 이렇게 옆에서 채찍질하
는 사람이 없다면 점점 데뷔하기가 힘들 거예요.

웹툰작가가 되고 싶은 청소년들이
꼭 읽어봤으면 하는 책들을 추천해주세요.

편 웹툰작가가 되고 싶은 청소년들이 꼭 읽어봤으면 하는 책들을 추천해주세요.

손 개인적으로는 『삼국지』 같은 역사 소설, 셰익스피어나 헤밍웨이 같은 고전을 읽었던 경험이 이 일을 하는데 많은 도움이 됐어요. 고전을 처음 접하면 지금과는 다른 말투에서부터 오글거릴 수 있어요. 그런데 읽다 보면 과거와 소통하는 기분도 느낄 수 있고, 과거의 생활양식에서 오히려 새로운 걸 볼 수 있을 거예요. 이걸 현대적으로 재해석해보고 싶은 생각이 들 수도 있고요. 각자 취향이 다르니 우선은 본인이 원하는 책들을 읽으며 활자와 친해지는 걸 권해요. 그러다 점차 다양한 분야로 넘어가면 좋겠죠.

웹툰작가가 되면

~

저두
콜입니다!

작가가 되어 새로운 이야기를 끊임없이 창조하는 일은 힘들 것 같아요.

편 작가가 되어 새로운 이야기를 끊임없이 창조하는 일은 힘들 것 같아요.

손 물론 힘들지만 그게 재미있어서 이 일을 하고 있죠. 이야기를 만드는 것도 반복적인 훈련이 필요해요. 내가 전달하고 싶은 이야기를 재미있고 생생한 스토리로 만들어 설득력 있게 전하려면 스토리텔링 훈련은 필수예요. 스토리텔링이 원활하게 되면 웹툰을 보는 사람의 기분이 좋아져요. 독자들의 기분이 좋아진다는 것은 작가가 무슨 말을 하는지 그 의도를 분명히 이해한다는 것이죠. 좋은 스토리가 나오려면 우선 좋은 캐릭터가 있어야 하고, 캐릭터 간의 관계 설정이 좋아야 해요. 사건들 간의 개연성도 있어야 하고요. 그런 것들을 기본으로 이야기를 만들어 나가는 연습을 끊임없이 해야 하죠.

구체적인 수입이 궁금해요.

편 직업을 선택할 때는 수입도 중요하잖아요. 구체적인 수입이 궁금해요.

손 작가들의 평균 수입을 얘기하기는 힘들어요. 워낙 격차가 심하니까요. 저 같은 경우 계산해보니 작년에 연재로만 4,500만 원 정도 벌었더라고요. 한 회당 100만 원을 받았으니까요. 웹툰 계약 시 사용하는 용어로 MG와 RS가 있어요. MG는 초반에 받기로 한 원고료를 말하는데 포털이나 플랫폼 입장에서는 일종의 투자금이죠. 이 투자금보다 수익이 많아지면 작가는 RS를 받을 수 있어요. 네이버는 신인 작가의 경우 정해진 계약금을 주고, 조회 수가 높아질수록 고료를 올려 줘요. 기성 작가의 경우는 계약할 때 미리 회당 금액을 정하고요. 결국 작가 스스로 본인의 가치를 증명하고 인정을 받아야 하는 거죠.

편 보통 신인 작가는 한 회당 얼마의 고료를 받나요?

손 지금은 한 회당 40~50만 원 정도로 시작해요. 50만 원을 받으면 한 달에 200만 원 정도 받는 거고요. 얼마 전까지만 해도 30~40만 원부터 시작했는데 기성 작가들의 노력으로 많이

올라갔죠. 30~40만 원 가지고는 생활이 힘들다보니 투쟁하고
타협해서 이룬 결과예요.

작업 시간을 정해놓고 일하나요?

편 작업 시간을 정해놓고 일하나요?

손 작업 시간을 정해놓고 일하지는 않아요. 하루 동안 작업할 분량을 정해놓고 일하죠. 그 분량은 보통 20~30컷 정도고요. 그렇게 그리다 보면 하루가 금방 지나가 버려요.

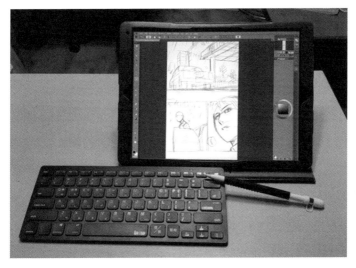

기동력을 위한 아이패드 프로$^{iPad\ Pro}$ 12.9
주로 외부에서 작업할 때 사용

근무 여건은 어떤가요?

편 근무 여건은 어떤가요?

손 저는 일반 사무실이 아닌 빌라를 얻어서 화실로 사용하고 있어요. 작업은 물론 먹고 자는 것을 모두 화실에서 해결하죠. 그래서 일반 사무실보다는 자유롭고 편한 환경에서 작업하고 있어요.

노동 강도는 어느 정도인가요?

편 노동 강도는 어느 정도인가요?

손 노동 강도가 굉장히 세다고 생각해요. 극심한 육체노동을 해서 세다는 것보다는 작업량이 많고, 마감 압박, 독자들의 냉정한 평가 등으로 스트레스를 받는다는 차원에서 강도가 세다는 거죠. 물론 손이 빨라서 2~3일 만에 마감하고 나머지 날은 노는 작가들도 있어요. 그렇지만 대부분은 일주일의 대부분을 이 일에 매달리고 있어요. 저만 해도 손이 빠르지 못해서 일주일 내내 일을 해야 하죠.

SNS 등을 통해 독자와 소통하기도 하나요?

편 SNS 등을 통해 독자와 소통하기도 하나요?

손 페이스북^{Facebook}을 하고는 있는데 다른 사람의 글을 읽기만 하지 제가 글을 올린 적은 없어요. 제 글로 인해 오해가 생기거나 파문을 불러올 가능성도 있어서 피하는 편이죠. 가끔 팬들에게 메일이 오는데 그럼 메일로는 연락하기도 해요. 얼마 전에 게임을 만드는 팬이 제 작품을 소재로 삼국지 게임을 만들고 싶다는 메일을 보내왔어요. 제 작품을 재미있게 보고 게임으로 만들어 준다니 흔쾌히 허락했죠.

편 연재가 끝나면 댓글을 보며 독자들의 반응을 확인하세요?

손 다는 못 보지만 가끔 시간이 나거나 심심해지면 읽어봐요. 제 작품을 칭찬하는 글을 보면 기분이 좋아지고 더 열심히 그려야겠다는 동기부여도 되죠. 또 욕하는 글이 있으면 네가 뭘 안다고 나를 평가하느냐고 샐쭉해지기도 해요. 마치 조울증에 걸린 환자처럼 기분이 좋았다가 나빴다가 하는 거죠. 그런데 이런 감정도 초반에만 생기는 거지 나중에는 제 작품에 관심을 가지고 댓글을 달아주는 것 자체가 감사하게 느껴져요.

독자의 영향을 많이 받는 편인가요?

편 독자의 영향을 많이 받는 편인가요?

손 〈삶의 발톱〉을 연재할 때였는데, 네이버에만 댓글을 달 수 있었고 다른 포털은 댓글을 달 수 없었어요. 다행히도 네이버에서 제 작품을 보는 팬들이 점잖은 골수팬들이라 댓글의 내용도 점잖았죠. 작품에 대한 진솔한 감상이나 응원하는 글들이 많았어요. 어떤 초등학생이 와서 제 그림을 욕하고 가면 팬들은 그 댓글이 밑으로 내려가 안 보이도록 칭찬을 쭉 달기도 했죠. 그래서 특별히 안 좋은 댓글 때문에 마음 상한 일은 없었어요. 정말 감사한 일이에요. 네이버에서는 가끔 이벤트로 다른 작가의 작품을 패러디하는 특집을 했는데, 제가 후배 작가의 〈죽음에 관하여〉라는 작품을 패러디한 적이 있어요. 그런데 후배 작가의 팬들이 심한 악플을 달더라고요. 네가 뭔데 이 작품을 건드리느냐고 욕하는 악플이 몇 천 건 달렸죠. 그래서 제 팬들과 댓글 전쟁이 났어요. 이 작가가 어떤 작가인 줄 알고 그러느냐며 저를 지지하는 댓글, 제 칭찬을 담은 댓글이 또 몇 천개 올라갔죠. 너무 이슈화가 돼서 마음이 편치만은 않았어요. 그런데 기안84 같은 작가들은 그런 일을 매주 겪는

다고 생각하니 그들의 마음은 어떨지 궁금하더라고요.

편 대중의 시선에 맞추는 것과 나만의 스타일을 만드는 것, 어느 쪽이 좋은가요?

손 작가는 작품을 전개할 때 대중의 입맛에 맞출 수도 있고, 나만의 스타일을 창조할 수도 있어요. 둘 중에 뭐가 좋거나 나쁘다고는 얘기할 수는 없어요. 작품이 세상에 나오면 평가는 온전히 독자의 몫인데 이들의 취향은 모두 다르니까요. 독자의 입맛에 맞춘다고 대중적인 플롯을 구성할 경우 좋아하는 독자도 있는 반면 뻔해서 싫다고 하는 독자도 있겠죠. 반대로 자신만의 스타일로 독특한 작품 세계를 그리다 보면 환호하는 팬들도 있겠지만, 따라가기 힘들어하는 독자가 많아 작가 혼자 따로 노는 느낌이 들 수도 있어요. 항상 의도한 대로 반응이 나오기는 힘든 거죠. 그래서 저는 그릴 때는 최선을 다하고 독자들의 평은 달게 받기로 했어요.

직업병이 있나요?

편 직업병이 있나요?

손 웹툰작가들은 손을 반복적으로 사용하잖아요. 자연히 손목에 부담이 가서 손목터널증후군<small>Carpal Tunnel Syndrome, 컴퓨터나 스마트폰 등의 키보드나 마우스 등을 반복하여 지나치게 많이 씀으로써 손목의 신경과 혈관, 인대가 지나가는 수근관이 신경을 압박하는 증상</small>을 가진 사람이 많아요. 저 같은 경우 손목에 있는 힘줄이 끊어져서 손가락이 안 펴져요. 그래서 작업 시간이 길어지면 손이 저리기도 하고 많이 아프죠. 또 계속 모니터를 보고 일해야 해서 눈이 많이 피로하고 시력이 점점 나빠지는 것 같아요. 밤을 새워 일하니까 만성피로도 있고요.

이 일을 하면서 가장 기억에 남는
순간은 언제였나요?

편 이 일을 하면서 가장 기억에 남는 순간은 언제였나요?

손 음, 여러 가지 일들이 있었지만 최근에 강의를 나갔다가 만난 학생이 생각나네요. 학교로 강의를 나갔는데 어떤 학생이 저를 찾아왔어요. 그 학생이 얘기하길 이 학교에 오게 된 계기가 저 때문이래요. 학교 홈페이지에서 강사진을 봤는데, 제가 있어서 이 학교에 입학했다는 거예요. 고맙기도 하고 더 열심히 해야겠다는 생각이 들기도 했죠.

다른 분야로 진출이 가능한가요?

편 다른 분야로 진출이 가능한가요?

손 어느 정도 경력이 쌓이면 후학을 양성하는 교수가 될 수 있겠죠. 저도 지금 대학에 강의를 나가고 있어요. 과제 하고 학점 관리하다 지쳐버리게 만드는 기존의 교육방식에서 탈피해 학생들에게 즐겁게 놀 수 있는 장을 마련해주고 제 경험을 솔직하게 이야기하며 소통하다 보니 그게 또 재미있더라고요. 젊은 친구들과 더 많은 시간을 보내기 위해 계속 강의를 하며 경력을 쌓다가 50대가 되면 교수로 일하고 싶어요. 제가 어렸

을 때 지나온 길이 고되고 힘들어서 후배들은 좀 더 쉽게 그 길을 통과할 수 있도록 내비게이션 같은 역할을 했으면 해요.

편 인생의 최종 목표는 무엇인가요?

손 앞서 얘기했듯이 언젠가는 미국에서 연재를 할 거예요. 미국은 1년에 한 작품만 해서 출판을 하게 되면 인센티브가 꾸준히 나오기 때문에 평소에는 학생들을 가르치는 일을 할 수 있어요. 지금처럼 매주 마감에 쫓기며 살지 않아도 되죠. 저는 한 작품 한 작품 최선을 다하고, 제 작품을 기다리는 팬들이 있고, 그들이 제 작품을 보고 최고라고 말해준다면 정말 행복할 것 같은데요.

나도 웹툰작가

#

일기 쓰기

"
작가가 된 후에도 계속해서 새로운 이야기를 만드는 일은 쉽지
않아요. 처음 글을 쓰는 사람이라면 더 막막하기만 할 것 같은
데요. 지금부터 꾸준히 일기를 써보세요. 자신의 감정이나 감상
을 내레이션으로 풀어쓴다거나 오늘 있었던 일을 대본으로 만
들어보는 거죠. 일기 쓰기는 좋은 글쓰기 훈련이 될 거예요.
"

Date . . .

Date　　　.　　.　　.

Date . . .

대사 넣기

제 작품의 한 장면입니다. 이 한 컷만 보고 어떤 상황인지 짐작
이 가시나요? 두 눈을 감고 인물들의 표정과 동작을 되새기며
어떤 상황인지 마음속으로 그려보세요. 그리고 비어있는 말풍
선에 적절한 대사를 넣어 보세요.

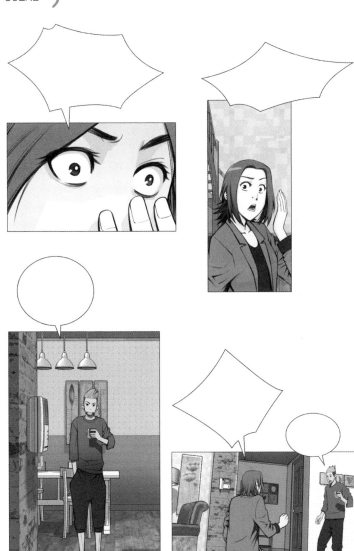

캐릭터 설정하기

❝

제 작품 〈이블 어게인〉은 추리, 공포 장르의 웹툰이에요. 인간
성보다는 돈이나 권력이, 상식보다는 비정상이 인정받는 비현
실적이고 비인간적인 세상이 잉태한 존재 사이코패스에 대한
이야기죠. 그들이 만들어놓은 사이코패스가 부조리를 응징하는
데 그것이 어떤 결과를 가져올지는 아무도 몰라요. 이 이야기
의 주인공은 사이코패스인 백경이라는 인물이에요. 백경 외에
도 다양한 캐릭터가 필요하겠죠? 내가 작가라면 백경이라는 인
물 주변에 어떤 사람들을 채워 넣을까요? 그 인물들을 설정해
보고, 각각의 인물들이 어떤 사람인지 상상해보세요.

❞

백경 주변에는 어떤 인물들이 있을까요?
어머니? 아버지? 친구? 희생자?
원작과 같을 필요도 비슷할 필요도 없어요.
상상력을 발휘해 나만의 인물도를 만들어보세요.

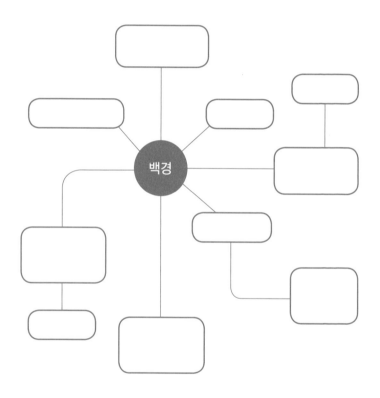

그들 각각은 백경과 어떤 관계인가요?

성격은 어떤가요? 체격은요?

막막하다면 주변에서 만났던 사람들의 습관과 행동을 기억해보세요.

나이부터 체격까지 하나하나 설정하다 보면 각 캐릭터의 구체적인 모습이

그려질 것 같은데요.

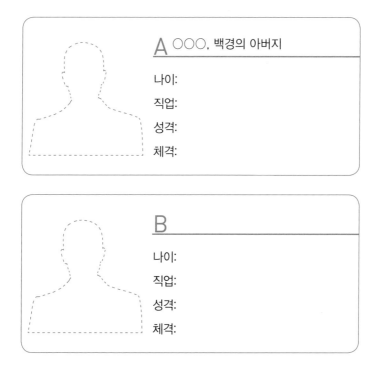

A ○○○, 백경의 아버지

나이:

직업:

성격:

체격:

B

나이:

직업:

성격:

체격:

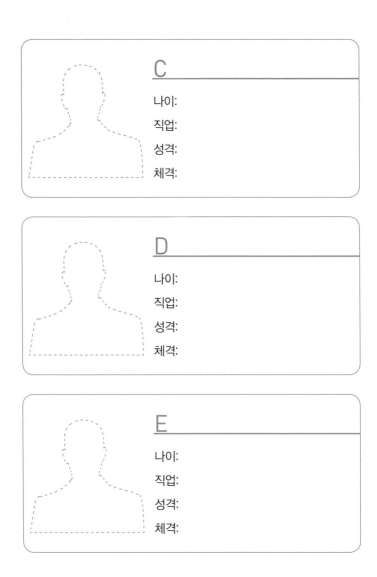

C

나이:
직업:
성격:
체격:

D

나이:
직업:
성격:
체격:

E

나이:
직업:
성격:
체격:

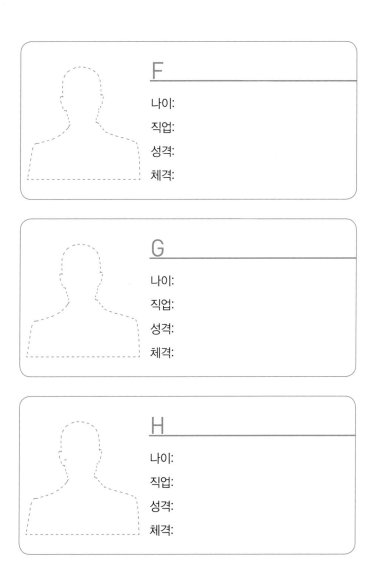

F

나이:

직업:

성격:

체격:

G

나이:

직업:

성격:

체격:

H

나이:

직업:

성격:

체격:

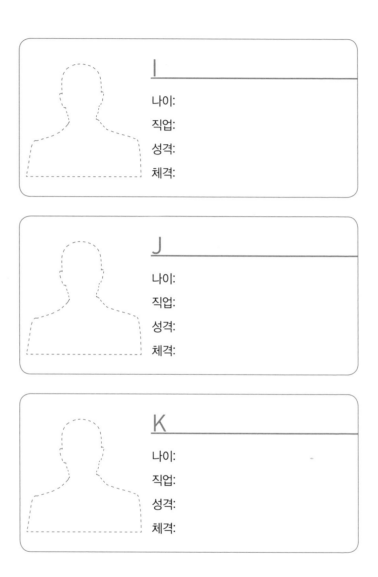

I _____

나이:
직업:
성격:
체격:

J _____

나이:
직업:
성격:
체격:

K _____

나이:
직업:
성격:
체격:

Job

데생 해보기

제 작품에는 다양한 캐릭터가 등장해요. 대표적인 캐릭터 몇 가지를 보여드릴게요. 인물들의 생생한 표정이나 자연스러운 포즈가 보이시나요? 따라 그려보며 인체의 구도를 자연스럽게 익혀보세요.

캐릭터 이름: 주율

작품명: 〈삶의 발톱〉

캐릭터 이름: 남율
작품명: 〈이블 어게인〉

Job

컬러링 해보기

 이번에는 데생에 색을 입혀보세요. 우선 머릿속으로 전체적인
색감을 그려본 후 자연스럽고 조화로운 색을 넣어보세요. **"**

〈삵의 발톱 외전〉 중 한 장면

〈오즈의 마법사〉 중 한 장면

〈이블 어게인〉 중 한 장면

웹툰작가
업무 엿보기

#

웹툰 제작 과정

웹툰 한 편이 나오기까지는 많은 과정이 필요해요. 손영완 작가
님이 웹툰 한 편을 제작하는 과정을 따라가 볼까요?

01 기획

아이디어를 구상하고 주제와 소재를 설정해요. 이 주제와 소재를 바탕으로 스토리를 이끌어나갈 굵직한 사건을 구상하고 전체 이야기의 흐름을 이해할 수 있는 기획서를 작성해요.

02 편집회의

편집회의가 열리면 기획한 작품의 내용, 주제와 의도 등을 설명해요. 회의를 통해 편집자의 의견을 반영해 일부 내용을 수정하기도 해요.

03 제작 결정 및 계약 체결

회의 결과 제작이 결정되면 계약을 맺어요.

#2 작품 설정 및 준비 단계

01 취재

스토리를 써 내려가기 전에 작품 속 등장인물의 직업이나 환경 등을 꼼꼼히 조사해요.

02 시놉시스

세계관과 배경, 캐릭터를 설정한 후 드라마 대본처럼 캐릭터들의 대사와 각 컷의 상황을 글로 적는 시놉시스를 작성해요.

03 콘티 작업

시놉시스를 토대로 한 컷 한 컷 콘티를 짜요. 실제 원고에 쓰이지는 않지만 컷의 구성, 구도와 연출의 방향을 잡는 밑그림 역할을 해요.

#3 작품 제작 단계

01 선화(색칠을 하지 않고 선으로만 그린 그림)

가장 먼저 웹툰의 기본이 되는 밑그림을 그려요.

02 밑색

기본적인 색을 칠해줘요.

03 컬러

색을 칠하면서 음영효과를 주고 다른 색들을 칠해줍니다.

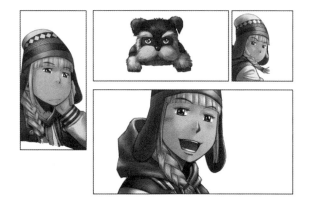

04 배경

웹툰에 사용할 배경을 따로 그려줍니다.

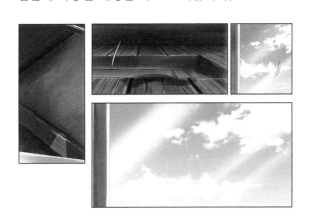

05 인물과 배경 합치기

배경과 인물을 한 컷에 합쳐줘요.

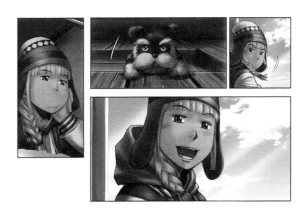

06 **텍스트** 캐릭터의 대사를 적어 줍니다.

07 **효과** 필터를 사용해 동선에 효과를 줍니다.

효과 전

효과 후

08 **스크롤 편집** 플랫폼에 맞게 세로 스크롤로 편집해요.

09 **원고 올리기** 완성된 원고를 업로드하면 이제 웹툰 제작은 끝나요.

스토리 구상 팁

처음 스토리를 쓰는 사람이라면 어떤 이야기를 써야 하는지 어떤 방식으로 써야 하는지 막막할 것 같아요. 손영완 작가님, 작가님만의 스토리 구상 팁을 알려주세요.

저뿐만 아니라 많은 작가들이 사용하는 스토리 구상 팁이에요. 한 번 읽어보시면 도움이 될 것 같네요.

01 설정은 누구나 알 수 있도록 쉽게 짜라.

02 스토리는 누구나 예상 못 하도록 반전을 넣어라.

03 인물은 설정 목적을 분명히 하되, 도가 지나치게 하지 말라.

04 스토리의 라인은 '시간'이나 '주인공의 이동경로'와 같은 것과는 무관하게 가라. (이런 방식은 남들이 다 그렇게 하는 방식이기 때문이다)

05 단락을 나누어 필요 없는 내용은 생략하라.

06 내가 재미있게 느끼는 소재를 발전시켜라.

07 스토리의 가닥이 잡히면 꼭 아는 사람에게 이야기해주고 반응을 살펴라.

08 재미는 어떻게 줄 것인가? 생각하라.

09 리얼리티를 위해 구체적으로 환경을 조율하라.

10 '어떻게'에 집중하라. 그것이 리얼리티를 만든다.

11 내레이션은 될 수 있으면 감성적, 시적으로 접근하라. 대사는 될 수 있으면 직설적, 구어체로 접근하라.

12 작품이 완결된 후, 그 속에 내가 보이는가? 생각해보라.

13 남의 글을 차용할 때에는 나만의 무엇을 보태어라.

14 스토리 진행이 막혔을 때에는 캐릭터를 자신에 비유하여
상상하라. 주위 환경을 적극적으로 이용하라.

15 머릿속에 구체적인 이미지가 잡히지 않은 상태에서 막연
히 내용을 전개시키지 말라.

16 애니메이션을 만들고 있는 것이 아니다. 만화적 연출에
힘을 쏟아라.

17 사투리를 이용하라.

18 우연히 무언가는 되지 않는다. 필연으로 되게끔 고민하라.

19 내가 모르는 것을 쓰려고 하지 마라.

20 상징을 설명하려 하지 마라.

작가 Talk Talk

편 주요 소재나 주제는 무엇인가요?

손 주제를 어떤 것으로 쓰겠다고 정해놓지는 않아요. 그때그때 상황에 따라 달라지죠. 살다 보면 어떤 것에 관심이 생길 때가 있잖아요. 나이가 들수록 관심 분야도 조금씩 달라지고요. 그러다 특별히 관심 가는 것이 생기고 거기에 순간 확 몰입하게 되는데 그런 것들이 이야기의 대상이 되죠.

편 주제를 선정할 때 어디에서 영감을 받나요?

손 사회적인 이슈나 영화, 소설에서 주로 영감을 얻어요. 어떤 때는 공원에서 음악을 들으며 산책하다가 아이디어가 떠오르기도 해요. 그 아이디어를 기반으로 살이 덧붙여져서 이야기의 소재가 되는 경우도 있죠.

편 캐릭터의 생김새나 이름, 인체 구도는 어떻게 설정하나요?

손 캐릭터는 어떤 설정을 하느냐에 따라 이미지가 매우 달라지는데요. 구체적으로 성격과 키, 역할 등을 정하고 그것에 맞게 묘사를 하죠. 예를 들어 주인공을 괴롭히고 힘들게 하는 키 작고 욕심 많은 인물을 설정한다면 그 느낌에 맞는 이미지가 만들어 지는 거죠. 결국 어떤 이야기를 하느냐에 따라 캐릭터 디자인이 달라진다고 할 수 있어요.

편 다양한 캐릭터는 모두 상상력의 결과인가요?

손 꼭 그런 것만은 아니에요. 실제 인물을 모티브로 해 이미지를 만들 때도 있거든요. 그런 특별한 경우를 빼고는 모두 창작이라고 할 수 있죠.

편 수많은 캐릭터들을 생생하게 살아있도록 만드는 노하우를 알려주세요.

손 친한 친구나 지인을 만날 때마다 그들의 모습을 관찰해요. 그들이 일상에서 보이는 행동을 자세히 관찰하다 특이한 습관이 있으면 기억해두기도 하고, 영화나 참고자료들 속에서 영감을 얻기도 해요.

편 스토리텔링을 위해 따로 공부하는 것이 있나요?

손 따로 공부를 하지는 않지만 영화나 드라마, 책, 다큐멘터리, 뉴스를 많이 봐요. 거기에서 얻은 다양한 이야기들이 새로운 아이디어로 발전하기도 하고 스토리텔링을 하는 데도 많은 도움이 되고 있어요.

편 작가님만의 스토리 작법, 노하우, 팁이 있다면요?

손 평소에 스토리텔링 연습을 많이 해요. 어떤 상황을 보든 그냥 지나치지 않고 왜? 라는 질문을 많이 하는 거예요. 저 사람은 왜 그랬을까? 저 사람에게는 무슨 일이 있었을까? 하는 의문을 가지고 상상을 하는 거죠. 예를 들어 공원 벤치에 한 사람이 앉아 있는데 그 사람의 표정이 슬퍼 보여요. 그럼 무슨 일이 있었길래 저렇게 슬픈 얼굴을 하는 걸까? 하고 그 이유를 상상해보는 거예요. 그 다음엔 방향을 바꿔 다른 관점에서 상상을 해보죠. 완전히 다른 이야기가 펼쳐질 거예요. 그 사람은 그저 벤치에 앉아 있었을 뿐인데 작가의 눈에는 이별로 인해 상처를 받은 사람이 되었다가 직장을 잃고 좌절한 사람이 되기도 하죠.

편 글을 잘 쓰려면 어떻게 해야 하죠?

손 글을 잘 쓰기 위해서는 많이 써보는 것이 가장 좋아요. 그리고 조리 있게 말하는 연습을 반복하는 것이 도움이 되죠. 머릿속에 있는 장면이나 이야기 구성을 입 밖으로 꺼내보는 연습은 글쓰기에 도움이 되고요. 말을 하는 것과 글을 쓰는 것이 크게 다를 게 없기 때문이죠.

편 떠오르는 아이디어나 메모들은 어떤 과정을 거쳐 작품이 되나요?

손 저는 순간순간 떠오르는 아이디어들은 꼭 메모를 해둬요. 그렇게 습관을 들이는 게 중요해요. 적어놓지 않고 다른 일을 하다 보면 금방 잊어버리기도 하니까요. 그래서 보통 작가들은 아이디어가 떠오를 때마다 수첩이나 스마트폰에 적어 두죠. 그리고 괜찮은 아이디어들은 각색을 거쳐 스토리에 에피소드로 등장하게 되는 거고요.

편 창의적인 아이디어는 어디에서 얻는지 궁금해요.

손 말처럼 창의적인 아이디어가 어디에서 구할 수 있고 얻을 수 있는 것이라면 정말 좋겠어요. 창작의 고통이라는 말이 괜히 나온 말이 아니에요. 머리를 쥐어짜서 나오는 것이 아이디어거든요. 어쩌면 제가 감각이 없어서 그럴 수도 있겠지만요.

편 창의성은 어떻게 훈련해야 하나요?

손 글쎄요. 평범한 것들을 평범하게 보지 않는 것이 중요할 것 같은데요. 처음에는 보이는 대로 보더라도 그 다음에는 타인의 시선으로도 한 번 보고, 주관적으로도 생각해보고 객관적으로도 생각해보며 다양한 시선을 갖는 거죠. 그러다 보면 뭔가 재미있는 포인트가 보일 때가 있어요. 그 포인트를 찾아보세요.

편 한 회를 연재하는데 걸리는 시간과 작업하는 컷 수는 어느 정도인가요?

손 주간지 연재는 한 회당 70컷 정도가 기본이에요. 하루에 16시간 정도 작업을 해야 마감이 가능하고요.

편 아이디어는 많은데 그림을 잘 못 그릴 때는 어떻게 하는 게 좋은가요?

손 아이디어가 많다는 것은 정말 축복받은 일이에요. 비록 그림을 잘 그리지 못해도 아이디어가 좋다면 기획서나 시놉시스 만드는 연습을 많이 해보세요. 좋은 기획이나 스토리가 나오면 작품으로 이어지는 경우도 많으니까요. 또는 좋은 작화화가를 만나 함께 작품을 만들 수도 있겠죠.

편 웹툰을 제작하는 많은 과정 중에 작가님이 제일 좋아하는 작업은 무엇인가요?

손 저는 제작 과정 중 콘티를 짜는 과정을 좋아해요. 콘티를 짜는 것은 스토리를 쓰고 난 후 어떤 식으로 독자에게 다가갈 지를 생각하고 고민하는 과정이에요. 작품이 완성되기 전에 가이드라인을 잡는 과정이라 설렘과 기대가 있어서 좋아하죠.

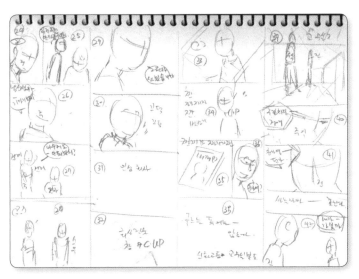

편 작가님의 그림 스타일은 굉장히 다양해요. 다양하게 그리는 이유가 있나요?

손 작품마다 그림체를 변주해가며 독자들에게 새로움을 주는 것이 제 작품을 좋아해 주는 분들에 대한 의무라고 생각해요. 스토리마다 장르가 다르고 성격이 다른데 매번 똑같은 그림 스타일로 작업을 한다면 독자들의 공감과 감동을 얻지 못할 것 같고요. 영화감독이 작품의 성격에 따라서 각기 다른 배우를 캐스팅하듯이 만화가 역시 스토리의 분위기와 특성에 맞춰 이미지를 잡는 것이 바람직하다고 봐요. 그렇기에 그림체가 한 가지 특징으로 굳어지지 않게 노력하는 거죠.

편 다른 작가들과 차별되는 점은 무엇인가요?

손 글쎄요. 지금까지 다른 작가와 차별되는 점을 생각해본 적이 없었네요. 굳이 얘기하자면 포기를 모르기에 끝없이 노력하고 있다는 점을 들겠어요. 처음 품었던 초심, 제 마음속에 그린 작가의 모습을 잃지 않기 위해 최선의 노력을 하고 있죠. 말하고 보니 많은 다른 작가들도 당연히 그러겠네요.

〈오즈의 마법사〉 중 한 장면

편 기억에 남는 작품이나 특별히 애정이 가는 작품이 있을까요?

손 음, 〈모데미풀〉이라는 작품이 저한테는 가장 특별한 작품이에요. 〈모데미풀〉은 12부작 단편 공모전에 당선돼서 미디어다음에 연재되었던 작품으로 모데미풀이라는 한국적인 식물과 6.25전쟁이라는 소재를 엮어 풀어냈던 이야기죠. 6.25전쟁을 폭격과 죽음을 배경으로 한 영웅담이 아니라 따뜻한 시선으로 새롭게 그려냈어요. 미국인 선교사 매튜가 6.25전쟁 중 군종신부^{군인 신분으로 장병들의 신앙생활과 신상에 관한 일을 돌보는 신부}로 한국에 오게 되는데, 전쟁 속에서도 천진함을 잃지 않은 아이들을 만나 따뜻한 우정을 나눈다는 스토리예요. 읽고 나면 마음이 따뜻해지는 이야기라 더 애정이 가나 봐요.

저기요.

모데미풀 (Megaleranthis saniculifolia)

미나리아재빗과의 여러해살이풀.
운봉금매화, 금매화아재비 등으로 불린다.
5월에 다섯잎의 꽃받침 위에 하얀색 꽃이 핀다.
우리나라 특산종.
지리산 소백산 덕유산 설악산 등지에서 자란다.
꽃말 '슬픈 추억' '아쉬움'.

현재는 국외 반출시 승인을 얻어야 하는
생물자원으로 지정되어 있다.

〈모데미풀〉 중 한 장면

웹툰작가
손영완 스토리

^^ S T O R Y

편 부모님은 어떤 분이셨는지, 어린 시절 환경은 어땠는지 궁금해요.

손 부모님과 4형제가 함께 살았는데 형편이 그렇게 넉넉하지 않았어요. 아버지는 몸이 안 좋으셔서 일을 못하셨고, 어머니 혼자 새벽이면 시장으로 나가셔서 밤늦게까지 장사를 하시며 저희 4형제를 키우셨어요. 고생이 많으셨죠. 어른들의 보살핌을 받지 못하고 대부분의 시간을 형제들끼리 지내다 보니 놀다가 사고도 많이 쳤어요. 여유 있는 환경도 아니었는데 어머니는 저희들이 장난치다 깨버린 옆집 장독 값까지 물어야 했죠. 그래서 어머니의 바람은 저희들이 얌전히 놀다가 공부 좀 하고 잘 때 되면 깨끗이 씻고 있는 거였어요. 지금 생각해보면 참 쉬운 일이었는데 그러질 못했네요. 어머니가 많이 속상하셨을 거예요. 그렇게 자라서인지 가정적인 남편이 되고 싶었고 아무리 일 때문에 힘들어도 가족들과 시간을 보내려고 노력해요. 주변의 많은 여자 후배들이 연재하다 보면 정말 힘들고 피곤한데 집에만 가면 어떻게 그렇게 애들이랑 잘 놀아주는지 의아해해요. 부인에게 충성하고 아이들과 놀면서 행복한 가정을 꾸리는 게 내 꿈이라서 그렇다고 얘기해주죠. 저는 쉬려고 집에 가지 않아요. 쉬려면 차라리 다른 데 가서 쉬죠. 공부는 잘 못했어요. 학교에서 배운 것들을 복습도 하고, 숙제도 해야 하는데 공부하라고 잔소리하는 사람이 없으니 놀기만 했죠. 혼자 집에 있는 시간이 많았는데, 제가 어려서 방안이 어두워도 불을 켤 수가 없었어요. 당시에는 스위치만 누르면 켜

지는 구조가 아니었거든요. 그래서 주로 깜깜한 방안에 누워서 상상하고 공상하며 시간을 보냈어요. 두 눈을 감고 상상의 세계로 가서 이런저런 꿈들을 꾸며 노는 게 즐거웠죠. 그래서 인지 이야기를 만들어내는 이 일이 어렵지만은 않아요.

편 학창시절에는 어떤 학생이었는지 궁금해요.

손 공부 잘하고 말 잘 듣는 그런 학생과는 거리가 멀었어요. 공부보다는 노는 것이 좋았죠. 사춘기 시절 다행히 그림 그리는 것을 좋아하게 되면서 힘든 일이 생길 때면 그림을 그리면서 위로를 받았던 것 같아요.

편 특별히 좋아했던 과목이 있었나요?

손 국어와 미술 과목을 좋아했어요. 그렇다고 성적이 좋았던 건 아니었어요. 미술 성적이 좋으려면 우선 학교에서 요구하는 준비물을 갖추고 작품을 만들어 제출해야 하는데, 준비물이 너무 많았어요. 준비물을 다 챙겨갈 여유가 없어서 성적이 나오지 않았죠. 옆에서 친구들이 하는 활동을 해보고 싶어서 다른 학생의 작업을 대신 해줬어요. 제 덕에 그 친구 성적은 좋았죠. 그러다 우연히 석고 데생하는 걸 봤어요. 필요한 건

스케치북과 연필뿐이더라고요. 수채화나 유화는 비싼 물감이 필요한데 이건 연필만 있으면 되니 마음에 들었어요. 틈만 나면 미술실에 가서 데생을 그렸죠. 고등학교에 가서는 미술반에 들어가서 그림을 그렸고요. 제 그림을 본 선생님이 미술을 계속 공부해서 미대에 가라고 권해주셨어요. 그런데 학원비가 없어서 포기했죠. 국사 과목도 좋아했어요. 왠지 재미있는 옛날이야기를 듣는 것만 같아 좋았죠.

만화동아리 오합지졸

📝 학창시절 기억나는 사건이 있나요?

🙋 웹툰작가가 되기 전에는 연극배우가 되는 것이 꿈이었어요. 그래서 마음이 맞는 친구들과 연극 동아리를 만들었고, 동아리 규모를 좀 더 확장하고 싶어서 멤버를 모으기 위해 공문도 만들어 배포했어요. 남학교뿐만 아니라 여학교 앞에서도 공문을 나눠 준 덕에 여학생 멤버들도 모이게 됐죠. 그렇게 연극이 좋아서 모인 동아리 멤버들은 꽤나 열정적이었고 그들과 즐거운 시간을 보낸 일이 기억나네요.

📝 어렸을 때 꿈은 뭐였나요?

🙋 앞서 얘기했듯이 웹툰작가가 되기 전에는 연극배우가 꿈이었고, 그 이전에는 야구선수가 되고 싶었어요. 제가 다니던 초등학교 야구부가 정말 유명했거든요. 운동장에서 연습을 하던 야구부원들을 보며 나도 저렇게 야구를 하고 싶다고 생각했죠. 그러다 전학을 가게 됐는데 아쉽게도 그 학교에는 야구부가 없어서 자연스럽게 그 꿈을 포기하게 되었네요.

📝 꿈꾸던 것을 이루고 있다고 생각하세요?

🙋 고등학교 시절부터 키워온 꿈이 만화가였고, 그 꿈을 이

뭐 지금까지 이렇게 외길을 걸어왔어요. 현재 작가로 활동하고 있으니 제 꿈의 절반은 이루었다고 할 수 있겠네요. 절반이라고 한 이유는 앞으로도 쭉 좋은 작품을 만들고 좋은 작가로 살아남는 것이 목표이기 때문에 저의 꿈은 아직도 진행형인 거죠.

편 학창시절 진로를 어떻게 결정하게 되었나요?

손 앞에서도 잠깐 얘기했는데, 연극 동아리 활동을 하다가 우연히 아마추어 만화 전시회에 갔어요. 또래 학생들이 그림과 일러스트를 그리고 전시까지 하는 것을 보고 충격을 받았죠. 어릴 때부터 그림 그리는 것을 좋아했던 저는 '이거다'라는 느낌을 받았어요. 그곳에서 같은 학교 선배도 전시 중인 것을 알게 되었고 그 선배를 찾아갔어요. 선배와 뜻이 맞아 함께 만화를 그리기로 했고요. 그 선배가 〈힙합〉을 그린 김수용 작가예요.

편 언제부터 이 직업에 관심이 있었나요?

손 이 직업에 관심이 생긴 것은 아마도 그림을 그리는 것이 즐겁다고 생각했던 중학교 시절부터인 것 같아요. 그 시절 가끔 형들이 만화책을 잔뜩 빌려오곤 했는데 그런 날은 다른 일은 하지 않고 만화책만 봤어요. 온종일 즐겁고 행복했죠. 그러다 보니 그림 그리는 것을 좋아하니까 만화가가 되는 것도 좋겠다고 어렴풋이 생각했던 것 같아요.

편 어떤 과정을 거쳐 이 직업을 갖게 되었나요?

손 고등학교 졸업 후 화실에 들어가게 되었어요. 화실에 들어가면 우선 뒤처리를 하고, 그 후에 배경맨, 터치 담당, 데생 담당의 과정을 거치게 되죠. 뒤처리는 모든 게 수작업이었던 시절에 했던 먹칠, 화이트 그리고 지우개질을 말해요. 배경맨은 원고의 백그라운드 작업을 하고, 터치 담당은 연필 데생을 잉크로 터치하는 작업을 하죠. 각각의 과정들을 마스터한 후 데뷔를 하고 만화가가 되었어요.

편 진로 선택을 하는데 도움을 준 사람들이 있나요?

손 중학교 시절 미술시간에 소묘를 하게 되었는데 이 분야에 재능이 있다는 것을 알게 되었어요. 제 그림을 본 미술 선생님께서 "그림 그리는 일을 계속 했으면 좋겠다."라는 말씀을 하셨죠. 그 일이 그림이라는 것이 더욱 더 좋아지는 계기가 되었어요. 그 후 고등학교에 들어가서 만난 김수용 선배가 만화가라는 진로를 결정하는데 확신을 주었죠.

편 웹툰작가가 되겠다고 했을 때 주변 사람들의 반응은 어땠나요?

손 아무도 말리지 않았어요. 주변 사람들이 그러는데 제가 고등학교도 못 들어갈 줄 알았대요. 중학생 때 공부도 못했고 사고만 치니까 당시는 고등학교도 시험을 봐서 들어가야 했기 때문에 못 갈 줄 알았다는 거죠. 어머니가 고등학교만은 꼭 졸업하라고 하셨고, 그럼 고등학교는 졸업할 테니 그 이후에는 제가 원하는 일을 하겠다고 말씀드렸어요. 독하게 공부해서 고등학교에 입학하고 무사히 졸업한 후 만화를 그리기로 결심하고 문하생 생활을 했는데, 제가 선택한 길이라 힘들어도 어디 하소연 할 때가 없었어요. 그 생활이 10년 가까이 되니까 가족들이 취직이나 하는 게 어떻겠냐고 압박을 하기 시작했어요. 꿈도 좋지만 돈을 벌어야 하지 않겠느냐는 거죠. 그래서 더 독하게, 더 열심히 그렸고 문하생 생활 8년 만에 드디어 잡지로 데뷔했어요.

편 문하생 생활이 힘들지는 않았나요?

손 물론 힘들었죠. 하지만 선생님과 선배들의 모습을 보면서 독자들에게 어떻게 접근할 것인지를 배웠어요. 다양한 그림체를 연마할 수도 있었고요. 여러 선배들의 작품에 데생을 그리다 보니 여러 가지 그림체를 익힐 수 있었거든요.

편 직업관을 형성하는데 도움을 준 책이나 영화가 있을까요?

손 저는 그림을 잘 그리는 작가가 되고 싶었어요. 어떻게 하면 그런 작가 될 수 있을까 하고 고민을 많이 했죠. 그러던 중에 선배가 〈헤비메탈〉이라는 만화잡지를 보여줬는데, 그 잡지에 실린 작품의 퀄리티에 엄청난 충격을 받았어요. 이렇게만 그릴 수 있다면 정말 좋겠다는 생각을 했죠. 요즘은 가끔 지치거나 힘들 때면 성공한 유명인들의 다큐멘터리를 봐요. 그들의 삶을 따라가 보면서 반성도 하고 동기부여를 얻기도 하죠.

편 이 분야의 전문가가 되기까지 얼마의 기간이 걸린 건가요?

손 웹툰을 그린다는 것은 창작을 하는 일이잖아요. 창작하는 직업은 전문가라는 단어와는 어울리지 않아 보여요. 경험 많고 능숙한 전문가가 아니어도 좋은 아이디어와 콘셉트만 있으면 독자들의 반응을 얻을 수 있으니까요. 단순히 프로그램을 다루는 숙련도 같은 기능적인 부분만 놓고 본다고 해도 이런 기능을 익히는 데에는 2~3개월 정도면 충분하고요. 문제는 드로잉이나 미술적인 이해력 그리고 연출력인데, 이 일을 20년 넘게 하고 있지만 아직도 할 때마다 어렵고 새롭네요.

편 현재의 삶에 만족하시나요?

손 현재의 삶에 만족하는 순간 발전은 없는 것이 아닐까요? 저는 오히려 지금의 삶에 만족한 채 이 위치에서 멈추는 것이 두려워요. 누구의 말처럼 늘 배가 고프고 아쉬워서 계속 노력하고 발전하고 싶어요.

편 자녀가 있다면 권할 만한 직업인가요?

손 이 일에 재능이 있고 하고 싶어 한다면 잘 할 수 있도록 선배로서 조언과 격려를 해주고 싶네요.

편 그밖에 관심을 가지고 활동하는 분야나 최근에 새롭게 도전하는 분야가 있나요?

손 최근에 웹툰 관련 강의를 자주하게 되면서 학생들과 만나는 일이 많아졌어요. 그런 시간이 즐겁고, 그들에게서 새로운 에너지를 받기도 해요. 물론 제가 부족한 부분이 많다는 것을 깨닫는 시간이기도 하고요. 그래서 더 나은 강의를 위해 필요한 준비들을 조금씩 천천히 하고 있어요. 기회가 된다면 전문적으로 학생들을 가르치는 일을 하고 싶어요. 물론 작품 활동도 꾸준히 하면서요.

편 웹툰작가로서 앞으로 어떤 목표를 갖고 계신가요?

손 계속해서 저다운 작품을 하고 싶어요. 누가 봐도 손영완 작품이네 할 수 있을 정도로 저만의 스타일을 완성해나가려면 타성에 젖어 적당히 그려서는 안 되겠죠. 끊임없이 노력해야죠. 선배 작가로서는 후배들이 더 나은 환경에서 일 할 수 있는 분위기를 만들어주고 싶고요.

편 마지막으로 웹툰작가를 꿈꾸는 청소년들에게 하고 싶은 말이 있다면요?

손 앞으로 나아갈 길의 밑그림을 많이 그려봤으면 좋겠어요. 막연히 웹툰작가가 되고 싶어가 아니라요. 웹툰작가가 되고 싶다는 학생들에게 구체적으로 어떤 작가가 되고 싶은지 물어보면 다들 대답을 못하더라고요. 그 학생들에게 목표를 데뷔에만 두지 말고 데뷔 이후 어떤 모습의 작가가 되고 싶은지를 생각해보라고 해요. 그렇지 않으면 막상 꿈에 그리던 데뷔를 하고 난 후에는 허탈감에 빠지거든요. 최선을 다해 노력하면 어떻게든 웹툰작가로 데뷔는 해요. 그러니 그 이후가 중요한 거죠. 본인이 어떤 이야기를 하고 싶은지에 대해 많이 생각하고 고민했으면 좋겠어요. 대학에서 전공을 하는 학생들도 과제에만 너무 몰입하지 말고, 시간을 내서 스토리와 캐릭터를 구상하고 취재를 다녔으면 하고요. 그때가 아니면 나중에는 더 시간이 없거든요.

"넌 만화를 왜 하냐?"

내가 만화를 배우기 시작했을 무렵
들었던 질문입니다.

여러가지 대답이 있을 수 있겠지만
내 대답은 여느 만화가 지망생들의
답과 다르지 않았습니다.

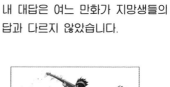

"만화가 좋아서요."

그 마음 하나로 달려와
만화가가 되고,
만화라는 말이
나의 일상이라는 말과
동일어가 되었을 때

나를 찾은 후배에게
오래전 들었던 질문을
되돌려 주고
나의 대답을 돌려받았습니다.

그래서 언제나 그랬듯이

나는 만화가
참 좋습니다

from.
Son Young Wan

청소년들의 진로와 직업 탐색을 위한
잡프러포즈 시리즈 11

웹툰작가

만화 그리기를 멈출 수 없다면

2018년 1월 12일 | 초판1쇄
2023년 4월 28일 | 초판7쇄

지은이 | 손영완
펴낸이 | 유윤선
펴낸곳 | 토크쇼

편집인 | 박가영
디자인 | 김경희
마케팅 | 김민영

출판등록 2016년 7월 21일 제2019-000113호
주소 | 서울시 서초구 나루터로 69, 107호
전화 | 070-4200-0327
팩스 | 070-7966-9327
전자우편 | myys327@gmail.com
블로그 | http://blog.naver.com/talkshowpub
ISBN | 979-11-88091-14-0 (43190)
정가 | 15,000원